Reading & Interpretation
大家写小书·马恩经典著作新读

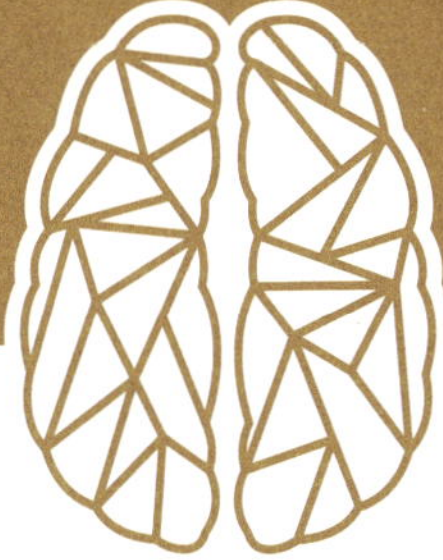

丛书主编 顾保国

马克思主义诞生的标记

《共产党宣言》新读

燕连福 著

红旗出版社

红旗出版社
HONGQI PRESS
推动进步的力量

图书在版编目(CIP)数据

马克思主义诞生的标记：《共产党宣言》新读 / 燕连福著. —北京：红旗出版社，2020.3（2021.4重印）
（大家写小书 / 顾保国主编. 马恩经典著作新读）
ISBN 978-7-5051-5039-3

Ⅰ.①马… Ⅱ.①燕… Ⅲ.①《共产党宣言》-马恩著作研究 Ⅳ.①A811.22

中国版本图书馆CIP数据核字(2019)第263696号

书　名　马克思主义诞生的标记
　　　　《共产党宣言》新读
著　者　燕连福

责任编辑　丁　鋆　　　从书统筹　丁　鋆
责任校对　曾晓蓉　　　特约编审　希　言　沈云才
责任印务　金　硕　　　装帧设计　戴　影
出版发行　红旗出版社
地　　址　北京市沙滩北街2号　　邮政编码　100727
　　　　　杭州市体育场路178号　邮政编码　310039
编 辑 部　0571-85310806
E - mail　rucdj@163.com　　发 行 部　0571-85311330
图文排版　杭州兴邦电子印务有限公司
印　　刷　浙江全能工艺美术印刷有限公司
开　　本　889毫米×1194毫米　1/32
字　　数　79千字　　印　　张　4
版　　次　2020年3月第1版　　印　　次　2021年4月第3次印刷
ISBN 978-7-5051-5039-3　　定　　价　20.00元

从经典著作中汲取斗争智慧

（丛书序）

习近平总书记在2019年秋季学期中央党校（国家行政学院）中青年干部培训班开班式上发表重要讲话时指出，“斗争精神、斗争本领，不是与生俱来的。领导干部要经受严格的思想淬炼、政治历练、实践锻炼，在复杂严峻的斗争中经风雨、见世面、壮筋骨，真正锻炼成为烈火真金。要学懂弄通做实党的创新理论，掌握马克思主义立场观点方法，夯实敢于斗争、善于斗争的思想根基，理论上清醒，政治上才能坚定，斗争起来才有底气、才有力量”。

经典著作体现了马克思主义立场观点方法，不仅包含着明确的问题意识、经典的分析方法，而且包含着斗争精神。这种斗争精神既体现了事物本身的复杂性，也体现了人类智慧的深刻性。虽然马克思主义诞生在一个半世纪之前，但迄今依然有着强大的生命力，被历史和现实一再证明是科学的理论，这其中一个重要原因就在于其科学的理论思维和强大的斗争精神。马克思主义经典著作是经典作家探索真理的丰富思想结晶，彰显了马克思主义经典作家坚定的政治立场、政治信仰和献身共产主义事业的政治品格和伟大的斗争精神。习近平总书记在纪念马克思诞辰200周年大会上的讲话中指出：“共产党人要把读马克思主义经典、悟马克思主义原理当作一种生活习惯、当作一种精神追求，用经典涵养正气、淬炼思想、升华境界、指导实践。”这就要求我们，提高学习马克思主义理论的能力，学思践悟，做马克思主义的信奉者、继承者、实践者和发展者。当严峻形势和斗争任务摆在面前时，骨头要硬，要敢于出击，敢战能胜。

近年来，马克思主义经典阅读热潮悄然兴起，再次凸显马克思主义经典著作编译的重要意义和时代价值。习近平总书记在中央政治局第五次集体学习时指出：“要深化经典著作研究阐释，推进经典著作宣传普及，让理论为亿万人民所了解所接受，画出最大的思想同心圆。”准确理解习近平总书记这一重要论述，需要我们深刻把握研究、阐释经典著作的时代要求，进一步加强经典著作宣传普及，使广大人民群众更深刻地感悟马克思主义的真理力量和斗争精神。

恩格斯曾说：“一个民族要想站在科学的最高峰，就一刻也不能没有理论思维。”理论思维能力不是天生的，而是后天培养和训练出来的。马克思主义经典著作是人类思想的精华，它深刻揭示了自然界、人类社会、人类思维发展的普遍规律。习近平总书记在2011年中央党校春季学期第二批入学学员开学典礼上强调，“阅读经典著作，本身就是增长知识、开阔眼界、增加思想深度和训练思维方式的过程，就是培养高瞻远瞩的战略洞察力和脚踏实地的工作作风的过程”。广大党员干部要提高斗争能力，必须高度重视通过学习马克思主义经典著作来提高自己的理论思维能力。

当今世界正处于百年未有之大变局，我们党领导的伟大斗争、伟大工程、伟大事业、伟大梦想正在如火如荼地进行，改革发展稳定任务艰巨繁重，我们面临着难得的历史机遇，也面临着一系列重大风险考验。各级领导干部要想在这些风险、困难和挑战面前赢得优势、赢得主动、赢得未来，就必须坚定马克思主义信仰和共产主义理想，不断提高运用马克思主义分析和解决实际问题的能力，不断提高运用科学理论指导我们应对重大挑战、抵御重大风险、克服重大阻力、化解重大矛盾、解决重大问题的能力，以更宽广的视野、更长远的眼光来思考把握未来发展面临的一系列重大问题，这就迫切要求领导干部自觉增强学习和运用马克思主义的本领，掌握马克思主义的斗争精神。广大党员干部特别是领导干部要学好用好《共产党宣言》等马克思主义经典著作，坚持学以致用、用以促学，原原本本学，熟读精思、学深悟透，熟练掌握马克思主义立场观点方法，不断提高马克思主义理论素养。因此，我们要系统掌握和努力实践马克思主义理论，真正把马克思主义这个看家本领学精悟透运用好，提升自己的斗争能力，并推动马克思主义不断发展。

提高把思想理论转化为实践的斗争能力，画出最大的思想同心圆，是坚持和发展马克思主义的现实要求，也是实现中华民族伟大复兴这一中国梦的思想基础。马克思主义经典著作卷帙浩繁，对于广大干部、群众来说，学习要突出重点。我们提倡读马列经典著作，并不是一定要求每位干部去全面读《马克思恩格斯全集》《列宁全集》或《马克思恩格斯文集》《列宁专题文集》。学马列要精，要管用。“精”，是指要读经典著作，经典篇目；“管用”，就是要结合具体、实际工作，有针对性、有目的地学以致用。例如，从总体上把握马克思主义，需要读

《马克思主义的三个来源和三个组成部分》;掌握无产阶级的革命理论,要读《共产党宣言》;了解马克思主义哲学世界观,要读《哲学笔记》《唯物主义和经验批判主义》《反杜林论》《路德维希·费尔巴哈和德国古典哲学的终结》;掌握马克思主义政治经济学,要读《政治经济学批判》《资本论》等。因此,我们第一辑选择了十本原著,组织国内有关院校的权威专家撰写导读,并由红旗出版社公开出版这批学习马克思主义经典著作的权威性辅导教材。

马克思主义是认识世界、改造世界的强大思想武器。在人类思想史上,没有一种思想理论像马克思主义那样对人类产生了如此广泛而深远的影响。原原本本学习和研读马克思主义经典著作,不断深化对共产党执政规律、社会主义建设规律、人类社会发展规律的认识,不断提升思想水平和斗争能力,真正把马克思主义这个看家本领学精悟透运用好,我们就能更有定力、更有自信、更有智慧,在习近平新时代中国特色社会主义思想指导下,实现"两个一百年"奋斗目标,确保中华民族伟大复兴的巨轮始终沿着正确航向破浪前行,胜利驶向光辉的彼岸。

红旗文稿杂志社社长 顾保国

2019年11月

目　录

前　言

《共产党宣言》是马克思和恩格斯为共产主义者同盟起草的纲领，是马克思主义与无产阶级革命运动相结合的典范。《共产党宣言》运用历史唯物主义原理，指出奴隶社会以来的全部历史都是阶级斗争的历史；揭示了资本主义的内在矛盾，论证了资本主义必然灭亡和共产主义必然胜利的人类社会发展规律；阐述了无产阶级肩负的伟大历史使命；论述了共产党的性质、特点、基本纲领和策略原则，奠定了马克思主义建党学说的基础；提出了“全世界无产者，联合起来”的战斗口号。

习近平总书记在十九届中央政治局第五次集体学习时，对《共产党宣言》的重大理论贡献做出了全面系统的评价，认为《宣言》深刻阐述了马克思主义的科学世界观及马克思主义政党的先进品格、政治立场、崇高理想、革命纲领、国际主义精神。

正如习近平同志所指出的那样，《共产党宣言》是一部科学洞见人类社会发展规律的经典著作，是一部充满斗争精神、批判精神、革命精神的经典著作，是一部秉持人民立场、为人民大众谋利益、为全人类谋解放的经典著作。《共产党宣言》首次对马克思主义的世界观和方法论作出了完整系统而又简洁凝练的表述，为无产阶级和共产党人认识世界和改造世界提供了强大的思想武器。这部文献的问世是人类思想史上的一个伟大事件，矗立起一座马克思主义精神丰碑，为世界社会主义运动指明了正确的前进方向。

Reading & Interpretation

大家写小书·马恩经典著作新读

第 一 章

《宣言》的写作背景

《共产党宣言》是国际共产主义运动的第一个纲领性文献，自发表以来，对人类社会变革和思想革命产生了广泛而深远的影响。1936年，毛泽东对斯诺（Edgar Snow）提到他最喜欢的三部马列著作，排在第一位的就是陈望道翻译的《共产党宣言》，这也是第一部用中文出版的马克思主义经典著作。1992年，邓小平视察南方时说，他的入门老师就是《共产党宣言》和《共产主义ABC》。习近平总书记指出，“《共产党宣言》是一部科学洞见人类社会发展规律的经典著作，是一部充满斗争精神、批判精神、革命精神的经典著作，是一部秉持人民立场、为人民大众谋利益、为全人类谋解放的经典著作。”①

《共产党宣言》是马克思与恩格斯为共产主义者同盟起草的纲领，于1848年2月在伦敦以德文正式公开出版。它是马克思主义最重要、影响最深远的经典著作，它的问世具有划时代意义，标志着马克思主义作为成熟的科学理论正式诞生，标志着马克思、恩格斯政党理论的形成，国际共产主义运动从此有了科学的理论指导，无产阶级和全人类解放有了科学的理论指南，为马克思主义在全世界的传播拉开了序幕。

理论是实践的产物，思想是时代的召唤。《共产党宣言》（以下简称《宣言》）的诞生有着深刻的经济条件、阶级条件、理论条件和组织条件。

① 习近平：《中国共产党是〈共产党宣言〉精神忠实传人》，《人民日报海外版》2018年4月25日第1版。

一、工业革命的发展和无产阶级的产生呼唤一个为人民谋利益的理论

时代催生思想，实践产生理论。《宣言》的诞生，首先是以工业革命以及西欧资本主义的发展为经济条件的。

资本主义的产生与发展。16世纪前后，西欧各国在生产力发展的推动下逐渐孕育出近代资本主义经济关系。资产阶级不断发展壮大，想要通过资产阶级革命寻求政治地位的提升。1688年，以推翻詹姆士二世为标志的英国资产阶级革命的胜利，标志着人类社会开始进入资本主义时代。

工业革命的产生和发展。18世纪60年代，英国发起了一场人类技术发展史上的巨大革命，史称工业革命，开创了以机器代替手工劳动的时代。工业革命从棉纺织业广泛采用机器生产开始，迅速扩展到采煤、冶金等许多工业部门，导致原有动力无法满足大机器生产需要。1785年，瓦特制成改良型蒸汽机，极大地推动了机器的普及和发展。18世纪末，工业革命从英国向西欧大陆和北美传播，并逐渐扩展到了世界其他地区。1840年前后，英国大机器生产基本上取代了传统的手工业，工业革命基本完成。

工业革命带来社会变革。第一，它使工厂制代替了手工工场，机器代替了手工劳动；从社会关系上使工业资产阶级和工业无产阶级逐渐形成和壮大起来。第二，工业革命大大加强了世界各地的联系，改变了世界的面貌，最终确立了资产阶级对世界的统治，率先完成工业革命的英国很快成为世界霸主。第三，生产力的变革带动了人们精神上的解放，极大地丰

富了人类思想文化成果，为科学认识历史规律提供了可能，为马克思主义科学理论的创立提供了物质条件。

工业革命催生无产阶级。工业革命带来的新的生产组织形式——工厂，切断了传统工场手工业者与农业农村的联系，使工人彻底沦为无产阶级。整个社会日益分裂为两个对立的阶级，即通过工厂大机器生产攫取工人剩余价值的工业资产阶级和除了出卖劳动力毫无其他收入来源的工业无产阶级。

工业革命的发展和无产阶级的产生，呼唤为人民谋利益的理论。工业革命在促进资本主义生产力迅速发展的同时弊病丛生。这一时期欧洲资本主义国家的工人工资普遍下降，社会财富分配不均愈发严重，工人处于极端困苦状态，无产阶级和资产阶级的矛盾日益尖锐。因此，各种学说都在探索如何制服资产阶级这个"怪物"，都在思考人类社会到底该走向何处。

时代呼唤为人民谋利益的理论，《宣言》的问世回应了时代呼唤。《宣言》明确指出，"过去的一切运动都是少数人的，或者为少数人谋利益的运动。无产阶级的运动是绝大多数人的，为绝大多数人谋利益的独立的运动"[1]。《宣言》指出，实现无产阶级"自身的解放"与"世界的解放"相一致，提出以"自由人联合体"为己任的共产主义理想，给人类指明了一条通向世界大同的光明大道。

①《马克思恩格斯选集》第1卷，北京：人民出版社，2012年，第411页。

二、工人运动的发展呼唤一个指引无产阶级革命斗争的理论

矛盾是事物发展的源泉和动力。《宣言》的诞生，是以工人阶级与资产阶级的矛盾激化以及工人运动的不断发展为基础的。

无产阶级和资产阶级的矛盾日益尖锐。工业革命带来生产力迅猛发展的同时，资本主义发展逐渐表现出它的局限性。资本主义社会自始至终存在着生产的社会化和生产资料私人占有之间的矛盾，这种不可调和的矛盾导致资本主义社会不可避免地出现周期性的经济危机。危机期间，工厂倒闭，工人失业，人民生活急剧恶化。1825年，英国爆发了第一次经济危机。此后每隔8—10年，资本主义社会就周期性地爆发经济危机。频繁的经济危机不仅造成社会生产力的极大破坏，更给无产阶级和其他贫困的劳动者带来深重灾难。资产阶级为了摆脱困境，变本加厉地剥削无产阶级，无产阶级和资产阶级的矛盾日益尖锐。

工人阶级的反抗和斗争。资本主义的发展并未给无产阶级带来同资产阶级一样的经济利益，无产阶级自诞生之日起，就是以受苦受难的阶层出现的。资本原始积累初期，资本家为攫取高额利润，千方百计地欺压工人。恩格斯在《英国工人阶级状况》中写道："资产阶级的这种令人厌恶的贪婪造成了这样一大串疾病！妇女不能生育，孩子畸形发育，男人虚弱无力，四肢残缺不全，整代整代的人都毁灭了，他们疲惫而且衰

弱，——而所有这些都不过是为了要填满资产阶级的钱袋！”[①] 资产阶级的残酷剥削和压迫，引起了工人阶级的反抗和斗争，但由于工人阶级还不成熟，对资产阶级的斗争还停留在捣毁机器、破坏厂房和要求提高经济待遇阶段。

工人进行阶级斗争的新纪元。19世纪中叶，英、法等国资产阶级的政治统治逐步稳定下来，但无产阶级政治上无权、经济上贫困的境地仍未得到改善。这促使广大工人思考自己贫困的根源。几个主要资本主义国家的工人阶级发起了大规模的起义和罢工，开辟了无产阶级反对资产阶级斗争的新纪元。其中具有标志性的有法国里昂工人起义、英国宪章运动、德国西里西亚纺织工人起义，正如恩格斯所说：“这些运动现在已经被看做现代被压迫阶级即无产阶级的运动，被看做他们反对统治阶级即资产阶级的历史上必然的斗争的或多或少发展了的形式，被看做阶级斗争的形式。”[②]

工人运动呼唤一个充满斗争精神的理论。随着工业革命的推进，无产阶级同资产阶级的斗争从自发分散走向自觉和有组织性，甚至发动了武装起义。这些斗争直接指向资本主义私有制，而代表资产阶级利益的学者们不断背弃真理，以纳索·威廉·西尼尔等为代表的庸俗资产阶级经济学家提出“节欲论”，弗雷德里克·巴师夏提出“服务”和谐论，巴蒂斯特·萨伊抛出“三位一体”公式，约翰·穆勒对劳动价值论进行否定。最终，“它（指资产阶级取得政权）敲响了科学的资产阶级经济

---

①《马克思恩格斯全集》第2卷，北京：人民出版社，2005年，第453页。

②《马克思恩格斯选集》第4卷，北京：人民出版社，2012年，第203页。

学的丧钟”[1]，蕴涵于资产阶级古典哲学、经济学的具有一定革命性意义的思想已经被全面庸俗化。尽管资产阶级学者的辩论，当时已经受到古典政治经济学、小资产阶级经济学、空想社会主义的无情批判，但阶级与时代的局限性决定了这些学说无法为无产阶级的斗争提供全面科学的指导。工人运动呼唤一个充满斗争精神的科学理论。《宣言》便是在奔涌的思想潮流和激烈的社会斗争中顺势而生的。它一经问世便成为一面引导无产阶级投身革命斗争的旗帜，一把照亮资本主义社会残酷剥削下漫漫黑夜的熊熊火炬。

知识链接 ……………………………………………………

★ 经济危机 ★

经济危机是指资本主义再生产过程中周期性爆发的生产过剩的危机。这种生产过剩不是绝对过剩而是相对过剩，即相对于劳动人民有支付能力的需求和资本价值增殖的需要而言的过剩。一般表现是：商品大量积压、生产锐减、工厂大批倒闭、工人大量失业、物价大幅上涨、信用关系严重破坏，整个社会经济陷入极端混乱和瘫痪之中。虽然危机的可能性在货币出现以后就已经产生了，但只有在资本主义生产方式下才具有现实性。这是由资本主义生产方式的基本矛盾决定的，即生产的社会化和资本主义生产资料私有制之间的矛盾。

---

① 马克思：《资本论》第1卷，北京：人民出版社，2018年，第17页。

三、马克思、恩格斯的理论探索呼唤一个彻底批判资本主义的理论

马克思、恩格斯经历了思想的转变。马克思、恩格斯并不是天生的马克思主义者和无产阶级革命家，他们也经历了一个思想成长和转变的过程。经过大量的革命实践活动和理论探索，马克思、恩格斯在哲学上逐步从唯心主义转变为唯物主义，在政治上从革命民主主义转向共产主义。

马克思的理论和革命实践活动涉及政党问题是从批判普鲁士封建专制政府的书报检查制度开始的。在1842年《评普鲁士最近的书报检查令》一文中，他力图说明国家应该是政治和法的理念的实现。1842年4月到1843年4月，马克思在为《莱茵报》所写的文章中，很多方面还站在唯心主义立场上，但在国家问题上，他的思想有了明显的转变，最具代表性的是1843年的《摩塞尔记者的辩护》一文。马克思在文中批判了把摩塞尔农民贫困的原因归之于天灾和个别官员失职的看法，他认为农民贫困的根本原因在于专制制度。1843年10月底，马克思前往巴黎编辑《德法年鉴》，并在上面连续发表了《论犹太人问题》和《〈黑格尔法哲学批判〉导言》两篇文章，其中已经涉及国家制度的实质了。列宁指出："马克思在这个杂志上发表的文章表明他是一个革命家。他主张'对现存的一切进行无情的批判'，尤其是'武器的批判'；他诉诸群众，诉诸无产阶级。"[①]这正是马克思从唯心主义转向唯物主

①《列宁选集》第2卷，北京：人民出版社，1995年，第415页。

义、从革命民主主义转向共产主义的主要标志。

直接接触工人团体对马克思思想转变起到关键性作用。1843年10月，马克思到达巴黎后经常同当地的工人组织进行接触，逐步形成了对这些工人组织的看法，认识到了工人阶级的意识觉醒。1844年7月马克思写的《评一个普鲁士人的〈普鲁士国王和社会改革〉一文》，论述了无产阶级的历史作用，指出无产阶级才是未来社会发展的力量。

恩格斯思想的发展同其对资本主义制度的深度思考密切相关。1842年秋，恩格斯前往英国工作两年，看到了发达资本主义国家的现实，目睹了宪章运动，这样的经历对他政党理论的形成起了重要作用：第一，恩格斯指出了政党的阶级本质，意识到英国各政党所代表的阶级利益。在1843年的《伦敦来信》一文中，恩格斯指出，政党始终代表着他们这个阶层和阶级的利益。第二，恩格斯已经认识到工人阶级在革命运动中建立一个政党的必要性。第三，恩格斯实际上已经看到了工人阶级政党不能仅仅是进行合法活动的党，还应当是一个要消灭私有制的党。

总体而言，《宣言》发表前，马克思、恩格斯已经对政党问题形成了初步认识：首先，他们指出了政党的阶级性。其次，他们已经认识到无产阶级想要实现自身解放，需要建立自己的政党。最后，他们提出了无产阶级政党的特点——一个以健全的哲学原理为基础的党在论述自己的理论时，应当从经验和确凿的事实出发。恩格斯在评述当时各个工人组织的纲领策略时，甚至提出了工人阶级政党应当是一个要消灭私有制的党。

马克思、恩格斯的理论探索，在斗争中上升为一个更加彻底地批判资本主义制度的理论。马克思主义最初只是工人运动中的一种学说和流派，在其发展过程中，每走一步都经过了激烈的战斗。从诞生之日起，它除了抗击资产阶级官方思想体系的围剿之外，还同工人运动中那些与它根本对立的理论进行了斗争，最终上升为一个更加彻底地批判资本主义制度的理论。当时，绝大多数空想社会主义者只把无产阶级看作是最值得可怜和同情的阶级，希望依靠统治阶级的"觉悟"帮助无产阶级获得解放。马克思主义认为，无产阶级是新的生产方式的代表，是资本主义制度的掘墓人，不但能够自己解放自己，而且能够解放全人类。因此，《宣言》系统地提出了关于无产阶级政党的理论，使无产阶级实现理想的道路豁然开朗。工人运动经过几十年的比较和筛选，也最终把自己的"阶级委托书"交给了这个彻底批判资本主义制度的理论。

四、共产主义者同盟的组建呼唤一个指导无产阶级政党的理论

正确的政治路线要依靠正确的组织来保证，正确的组织需要正确的思想作指导。《宣言》的诞生，是以共产主义者同盟的组建及其组织纲领的创作需要为条件的。

19世纪30—40年代，资产阶级政党政治的新变化，引起了马克思、恩格斯的注意。他们通过对资产阶级政党进行深刻分析后指出，无产阶级反对资产阶级的斗争，不仅需要科学的理论指导，还需要建立自己的政党。

为建立无产阶级政党做先期准备。马克思、恩格斯推进

建党的第一步，是于1845年建立了布鲁塞尔共产主义小组。第二步是1846年2月与比利时工人运动活动家菲利浦·日果合作，共同建立了布鲁塞尔共产主义通讯委员会。第三步是对当时最有影响的正义者同盟进行改组，为建立第一个无产阶级组织——共产主义者同盟做组织准备。

组建共产主义者同盟。1847年，在科学社会主义思想的指导下，正义者同盟改组为共产主义者同盟。马克思、恩格斯加入同盟，并对同盟的未来发展产生了重要影响。1847年6月2日，同盟在伦敦召开代表大会，大会决定使用“全世界无产者，联合起来”的战斗口号，代替原先缺乏阶级分析的“四海之内，人人皆兄弟”这一口号。大会还讨论并制定了《共产主义者同盟章程》。同年12月，第二次代表大会审查了章程，删去了带有空想共产主义色彩的部分，并批准了章程。

撰写《宣言》。马克思、恩格斯认为，同盟不仅要有作为组织准则的章程，还要有行动指南的纲领。为此，恩格斯于1847年6月撰写了《共产主义信条草案》（以下简称《信条草案》）。1847年10月，同盟中的“真正的社会主义”代表企图将他们的修正稿提交大会讨论。受同盟委员会的委托，恩格斯写成了同盟纲领的第二个稿本《共产主义原理》。《共产主义原理》同《信条草案》相比，无论内容还是形式都有很大的进步，为大会制定一个正确的纲领迈出了重要一步。1847年11月29日，同盟在伦敦召开第二次大会。会议结束后，受同盟委托，马克思、恩格斯开始着手起草同盟纲领，年底完成了撰写工作。1848年2月，作为共产主义者同盟纲领的《共产党宣言》正式发表。

共产主义者同盟作为全世界第一个无产阶级政党，为马克思主义政党学说的产生提供了实践依据；《宣言》的发表则为共产主义者同盟提供了一个周详的理论和实践的党纲。《宣言》第一次向全世界公开阐明了共产党人“自己的观点、自己的目的、自己的意图”，阐述了无产阶级建立自己独立政党的历史必然性和必要性，阐述了共产党的阶级性和人民性是一致的，阐述了共产党的先进性，阐述了共产党的最低纲领和最高纲领的统一性。

知识链接

★ 正义者同盟 ★

侨居法国的德国政治流亡者、工人和手工业者于1836年在巴黎建立的国际性的秘密革命组织，是共产主义者同盟的前身。后来在马克思、恩格斯的帮助下逐步接受了科学社会主义理论。1847年1月，由约瑟夫·莫尔代表同盟专程到布鲁塞尔、巴黎邀请马克思、恩格斯参加同盟，帮助同盟起草宣言，实现改组。马克思、恩格斯接受要求参加同盟。1847年6月2—9日在伦敦举行同盟第一次代表大会，决定改名共产主义者同盟（Communist League）。

★《德法年鉴》★

《德法年鉴》是由马克思和阿·卢格在巴黎编辑出版的德文刊物，仅在1844年2月出版过第1—2期合刊，其中刊载了马克思的著作《论犹太人问题》和《〈黑格尔法哲学批判〉导言》，以及恩格斯的著作《国民经济学批判大纲》和《英国状况——评托马斯·卡莱尔的〈过去和现在〉》。这些著作标志着马克思和恩格斯完成了从唯心主义向唯物主义、从革命民主主义向共产主义的转变。该杂志由于马克思和资产阶级激进分子卢格之间存在原则分歧而停刊。

延伸阅读

（1）《马克思恩格斯选集》第1卷，北京：人民出版社，2012年。

（2）杨金海：《马克思恩格斯〈共产党宣言〉研究读本——对〈共产党宣言〉的当代解读》，北京：中央编译出版社，2017年。

深度思考

（1）《宣言》发表前，“四海之内，人人皆兄弟”的口号在无产阶级内部产生了哪些影响？

（2）《宣言》产生的实践基础是什么？

（3）如何认识无产阶级政党与工人阶级、工人运动之间的关系？

Reading & Interpretation

大家写小书·马恩经典著作新读

第 二 章

对《宣言》七篇序言的解读

在《宣言》发表25年后，马克思、恩格斯陆续以五种不同语言（德文、俄文、英文、波兰文、意大利文）为《宣言》作了七篇序言，都是对《宣言》的进一步阐释说明，丰富并发展了马克思主义的基本原理和内涵。由此可见，《宣言》在当时世界范围内的广泛传播和重要影响。

一、1872年德文版序言：马克思主义的基本原理没有过时

1872年德文版序言由马克思、恩格斯共同撰写，此时距离《宣言》发表已有25年，在这25年中，国际形势有了很大的变化，工人运动也有了不同程度的发展。1871年的巴黎公社运动更是无产阶级推翻资产阶级，建立无产阶级政权的第一次尝试。1872年序言，是对《宣言》的第一次补充说明。

第一，强调《宣言》中阐释的基本原理没有过时。此版序言中两次提到“过时”，我们该怎样理解“过时”和“没有过时”呢？

首先，马克思主义的基本原理没有过时。马克思、恩格斯指出：“不管最近25年来的情况发生了多大的变化，这个《宣言》中所阐述的一般原理整个说来直到现在还是完全正确的”[①]。虽然此时距《宣言》发表已有25年，但其中阐释的一般原理即唯物史观、科学社会主义的基本原理，仍旧是正确的。

其次，过时的仅仅是某些针对当时具体问题的个别结论。马克思、恩格斯列举二月革命和巴黎公社运动，指出：“这

①《马克思恩格斯选集》第1卷，北京：人民出版社，2012年，第376页。

个纲领现在有些地方已经过时了。”[①]这里的“过时”仅指《宣言》中的十项革命措施无法适应新生的无产阶级政权，是由于这些措施并未得到过革命实践的检验因而“过时”；而后又提到“关于共产党人对待各种反对党派的态度的论述（第四章）虽然在原则上今天还是正确的，但是就其实际运用来说今天毕竟已经过时”，[②]这是第二次提到“过时”。1872年，《宣言》中列举的法、瑞、波兰、德国反对党派已经被彻底扫除，因此具体的举措也不再适应当下的具体情况，是为“过时”。但对待反对党派的态度“没有过时”，联合战线的思想“没有过时”。这体现了《宣言》中的基本原理不是僵化的教条，不是一成不变的，而应当顺应无产阶级革命发展而不断丰富和补充。

第二，工人阶级不可奉行拿来主义，要打破资产阶级的国家机器。马克思、恩格斯指出：“工人阶级不能简单地掌握现成的国家机器，并运用它来达到自己的目的”[③]。马克思、恩格斯在《宣言》中曾提出过无产阶级专政的思想，但是巴黎公社作为世界上第一次真正意义上的工人掌握政权的革命，是国际共产主义运动的新鲜经验，这一实践证明：无产阶级要想夺取革命的胜利，就必须通过暴力革命，打碎旧的国家机器，建立无产阶级专政。这种“三位一体”的经验，即著名的巴黎公社原则。

---

①《马克思恩格斯选集》第1卷，北京：人民出版社，2012年，第377页。

②《马克思恩格斯选集》第1卷，北京：人民出版社，2012年，第377页。

③《马克思恩格斯选集》第1卷，北京：人民出版社，2012年，第377页。

知识链接

★ 巴黎公社原则 ★

巴黎公社原则：工人阶级不能简单地掌握现成的国家机器，必须通过暴力革命打破旧的国家机器建立无产阶级政权，这是巴黎公社原则的根本之点。

马克思曾指出："公社的原则是永存的，是消灭不了的；在工人阶级得到解放以前，这些原则将一再表现出来。"[①]

二、1882年俄文版序言：现代资产阶级所有制必然灭亡

第二版俄文版序言发表于1882年，是马克思、恩格斯合著的最后一版序言。马克思、恩格斯在此序言中明确强调了《宣言》的任务，分析了美国和俄国开展无产阶级革命的条件，并对此做了预言。

第一，明确强调《宣言》的任务。"《共产党宣言》的任务，是宣告现代资产阶级所有制必然灭亡。"[②]这是七篇序言中第一次明确指出无产阶级革命的任务，就是宣告现代资产阶级所有制的灭亡。

那么这种灭亡在当时的俄国应当怎样实现呢？"是能够直接过渡到高级的共产主义的公共占有形式呢？或者相反，它还必须先经历西方的历史发展所经历的那个瓦解过程呢？"[③]这实际上也表露出马克思、恩格斯预测俄国无产阶级革命的

---

①《马克思恩格斯全集》第17卷，北京：人民出版社，2016年，第677页。
②《马克思恩格斯选集》第1卷，北京：人民出版社，2012年，第379页。
③《马克思恩格斯选集》第1卷，北京：人民出版社，2012年，第379页。

不确定性，因为当时俄国很多公社仍旧停留在原始封建甚至更加落后的状况中。随后马克思、恩格斯对俄国土地公有制可能作为共产主义发展的起点这一条件进行分析，认为若俄国革命引领西方无产阶级革命且二者相互补充，那么这一条件将会成为现实。这也表明马克思、恩格斯对俄国开展无产阶级革命抱有极大的期望。

第二，分析当时美俄两国进行无产阶级革命的形势。序言开篇指出，由米哈伊尔·亚历山大罗维奇·巴枯宁翻译的第一版《宣言》俄文版被西方认为是著作界的一件奇闻，这是因为当时（1847年12月）卷入无产阶级运动的地区十分狭小，是没有美国和俄国的。因此解释了为什么当时的俄文版《宣言》是一件奇闻。但是序言第二段中指出："今天，情况完全不同了！"[①]说明当时的俄国已不再是过去未卷入无产阶级运动的俄国了。

马克思、恩格斯分析了美国的情况。由于欧洲移民使得北美的农业生产和工业资源开发都有了大的突破，"以至于很快就会摧毁西欧特别是英国迄今为止的工业垄断地位"[②]。这势必影响美国无产阶级的发展，美国的工人运动因此也可能开展起来。随后，马克思、恩格斯对俄国革命运动进行了分析，指出俄国在经历了1848—1849年革命运动后，已然成为整个欧洲反动势力的支柱，"沙皇被宣布为欧洲反动势力的首领"[③]。然而到1882年，沙皇却已成为革命的俘虏，俄国就此成为欧洲革命的先进部队。

---

①《马克思恩格斯选集》第1卷，北京：人民出版社，2012年，第378页。
②《马克思恩格斯选集》第1卷，北京：人民出版社，2012年，第378页。
③《马克思恩格斯选集》第1卷，北京：人民出版社，2012年，第379页。

这就说明了第二版俄文版《宣言》的出版是一件再正常不过的事情了，不再是一件奇闻。同时也修正了马克思、恩格斯曾认为的无产阶级革命只可能在西方发达国家取得胜利的这一论断。

三、1883年德文版序言：重申《宣言》的唯物史观

1883年德文版序言是七篇序言中字数最少、最简短的一篇，也是第一篇由恩格斯一人撰写的序言。

第一，强调对马克思的怀念之情。恩格斯在序言开篇和最后写道，“本版序言不幸只能由我一个人署名了……这个基本思想完全是属于马克思一个人的”[①]。首先，这两句话表达了恩格斯对马克思的怀念和无比崇敬之情。其次，恩格斯强调马克思所提出的历史唯物主义理论是属于马克思一个人的，也体现出恩格斯谦逊、高尚的品格。

第二，重申《宣言》的唯物史观。恩格斯从三个方面强调了唯物史观：

其一，“每一历史时代的经济生产以及必然由此产生的社会结构，是该时代政治的和精神的历史的基础”[②]，强调经济生产会影响并产生相应的社会结构，即经济基础决定上层建筑。

其二，“（从原始土地公有制解体以来）全部历史都是阶级斗争的历史，即社会发展各个阶段上被剥削阶级和剥削阶级之间、被统治阶级和统治阶级之间斗争的历史”[③]，强调任何历史

---

①《马克思恩格斯选集》第1卷，北京：人民出版社，2012年，第380页。
②《马克思恩格斯选集》第1卷，北京：人民出版社，2012年，第380页。
③《马克思恩格斯选集》第1卷，北京：人民出版社，2012年，第380页。

都是阶级斗争的历史，阶级斗争是推动阶级社会发展的力量。

其三，“这个斗争现在已经达到这样一个阶段，即被剥削被压迫的阶级（无产阶级），如果不同时使整个社会永远摆脱剥削、压迫和阶级斗争，就不再能使自己从剥削它压迫它的那个阶级（资产阶级）下解放出来”①，是指当时是无产阶级和资产阶级斗争的新阶段，无产阶级必须通过革命、阶级斗争才可以消灭剥削，推翻资产阶级，建立无产阶级政权并最终解放全人类。

四、1888年英文版序言：《宣言》不能被称为“社会主义宣言”

1888年英文版序言有近8000字，远多于前三版序言。

第一，说明为何《宣言》不能被称为“社会主义宣言”。序言第五段中写道，“当我们写这个《宣言》时，我们不能把它叫做社会主义宣言”②。为什么不可以呢？这是因为当时受到空想社会主义影响的空想社会主义体系的信徒和形形色色的社会庸医才会被称为社会主义者，因此“在1847年，社会主义是资产阶级的运动，而共产主义则是工人阶级的运动”③。这是马克思、恩格斯选择了“共产主义”这一名称的原因。

第二，再次强调理论联系实际这一基本原理。序言中写道，“不能不使人们认识到他们的各种心爱的万应灵丹都不灵，并为他们更透彻地了解工人阶级解放的真正的条件开辟

① 《马克思恩格斯选集》第1卷，北京：人民出版社，2012年，第380页。

② 《马克思恩格斯选集》第1卷，北京：人民出版社，2012年，第384页。

③ 《马克思恩格斯选集》第1卷，北京：人民出版社，2012年，第385页。

道路"[1]。这里的"万应灵丹都不灵"是指:实现工人阶级解放要理论联系实际,不可教条、不可僵化。

恩格斯在1888年序言中还完整引用了1872年德文版第二段"不管最近25年来的情况发生了多大的变化……"[2],再一次重申并强调了理论联系实际这一基本原理。

五、1890年德文版序言:全世界无产阶级必然走向联合

由于恩格斯将1882年在日内瓦出版的第二个俄文版序言的德文原稿遗失,因此1890年德文版序言只能将1882年俄文版序言译回,并重述了1888年英文版序言的主要内容。

第一,介绍《宣言》刊印及传播情况。在本版序言中,恩格斯首先介绍了《宣言》刊印及传播至今的情况,并对各个版本的译稿进行评价;其次,再一次说明无产阶级运动已经在世界范围内展开;最后,强调《宣言》已得到了国际无产阶级的认可,成为"从西伯利亚到加利福尼亚的所有国家的千百万工人的共同纲领"[3]。

第二,介绍《宣言》发表42年后国际工人运动情况。"'全世界无产者,联合起来!'当42年前我们在巴黎革命即无产阶级带着自己的要求参加的第一次革命的前夜向世界上发出这个号召时,响应者还是寥寥无几。"[4]1848年欧洲革命失败后,无产阶级受到强烈镇压,这导致工人运动转入低潮。然而在

①《马克思恩格斯选集》第1卷,北京:人民出版社,2012年,第383页。
②《马克思恩格斯选集》第1卷,北京:人民出版社,2012年,第386页。
③《马克思恩格斯选集》第1卷,北京:人民出版社,2012年,第392页。
④《马克思恩格斯选集》第1卷,北京:人民出版社,2012年,第393页。

恩格斯写这篇序言的1890年5月1日，是1889年第二国际确定的第一个工人阶级的节日，是国际无产阶级团结战斗的日子。这是无产阶级真正的联合且无产阶级必须联合起来的时代，而联合起来进行战斗的无产阶级正在成为一个整体！

第三，怀念马克思并对全世界无产者联合起来表示欣慰。1890年，马克思已经逝世7年之久，恩格斯在此版序言的最后写道："如果马克思今天还能同我站在一起亲眼看见这种情景，那该多好啊！"[①]充分表达了他对全世界无产者真正联合起来的喜悦、欣慰之情，以及对马克思的怀念之情。

六、1892年波兰文版序言：只有无产阶级的领导才能争得民族独立

1892年波兰文版序言是给新版波兰文《宣言》作的补充说明，介绍了当时《宣言》的影响力和对波兰开展无产阶级运动的预测。

第一，《宣言》的发行状况反映了该国的大工业发展程度。恩格斯在此篇序言中，用《宣言》的发行状况来预测该国的大工业发展程度，即"根据《宣言》用某国文字发行的份数，不仅可以相当准确地判断该国工人运动的状况，而且可以相当准确地判断该国大工业发展的程度"[②]。这是因为《宣言》揭示了资本主义发展的历史趋势以及无产阶级的历史使命，工业化越发达，无产阶级就越想知道自己所处的地位，这就意味着《宣言》被越来越广泛地需要。随后，恩格斯又通过分析波

①《马克思恩格斯选集》第1卷，北京：人民出版社，2012年，第393页。
②《马克思恩格斯选集》第1卷，北京：人民出版社，2012年，第394页。

兰工业大发展的例子进一步说明了这一观点。

第二，强调民族独立是实现无产阶级革命的前提。恩格斯阐释了波兰工业大发展使波兰经济提升，人民有了强大的生命力，同时工人阶级力量不断壮大，马克思主义的影响力在波兰也随之增强，这就为波兰民族复兴提供了新的保证。随后又写道，波兰贵族没有争得波兰独立，资产阶级也认为独立是无关痛痒的事情。只有波兰无产阶级才可以争得，欧洲各国工人也都应像波兰工人一样。这指出了民族独立是实现民族复兴的前提条件，并且只有无产阶级的领导才能争得民族独立，因此证明了马克思主义在工人阶级中的广泛传播是争取民族独立运动胜利的根本保证。

七、1893年意大利文版序言：无产阶级是资产阶级的掘墓人

1893年意大利文版序言是七篇序言中的最后一篇，这篇序言同样强调民族独立是无产阶级革命的重要前提，并对意大利实现无产阶级革命抱有很大期望。

第一，无产阶级是资产阶级的掘墓人。序言指出，“最近45年来，资产阶级制度在各国引起了大工业的飞速发展，同时造成了人数众多的、紧密团结的、强大的无产阶级；这样它就产生了——正如《宣言》所说——它自身的掘墓人”①，强调资本主义大工业的发展导致了资产阶级对立面——无产阶级的产生，而后者必将成为资产阶级的掘墓人。

①《马克思恩格斯选集》第1卷，北京：人民出版社，2012年，第397页。

第二，希望有一位新的“但丁”出现。恩格斯写道，1848年的战斗是有意义的，此次革命的果实已经开始成熟，他希望这版序言的出版可以成为意大利无产阶级胜利的预兆，强调“意大利是第一个资本主义民族。封建的中世纪的终结和现代资本主义纪元的开端，是以一位大人物为标志的。这位人物就是意大利人但丁”①。在新的历史纪元到来之时，恩格斯希望可以有一位新的“但丁”出现，对意大利无产阶级的诞生寄予了厚望。

总之，七篇不同版本的序言是一脉相承又略有不同的，每一篇序言都是根据当时的实际情况对《宣言》的补充说明，这正是马克思唯物史观和科学社会主义的体现。习近平总书记在纪念马克思诞辰200周年大会上的讲话中强调，“《共产党宣言》发表170周年来，马克思主义在世界上得到广泛传播。在人类思想史上，没有一种思想理论像马克思主义那样对人类产生如此广泛而深刻的影响”②。就中国共产党近百年的历史来看，从建党筹备到取得举世瞩目的成就，都与《宣言》所阐释的马克思主义基本原理紧密相联。当今的中国正走在新时代中国特色社会主义大道上，在我们继续学习《宣言》的过程中，需要准确把握其中所体现的科学社会主义基本原理，为推进新时代中国特色社会主义伟大事业而不断努力！

①《马克思恩格斯选集》第1卷，北京：人民出版社，2012年，第397页。

② 习近平：《在纪念马克思诞辰200周年大会上的讲话》，《人民日报》2018年5月5日。

知识链接

★ 第二国际 ★

第二国际成立于1889年，以威廉·李卜克内西等人为代表，又称“社会主义国际”。第二国际于1889年7月14日在巴黎召开第一次大会并通过《劳工法案》及《五一节案》，最终决定以同盟罢工作为工人斗争的武器。后因帮助资产阶级从事国际战争而停止活动，至1920年在日内瓦召开大会，第二国际才恢复起来。但列宁在1914年曾宣布“第二国际已死，第三国际万岁”。

延伸阅读

(1) 冯景源：《唯物史观的形成和发展史纲要》，北京：中央编译出版社，2014年7月。

(2) 钟哲明：《〈共产党宣言〉论资本主义及其两个“不可避免”——〈共产党宣言〉第一部分及1872年德文版序言、1883年德文版序言研读》，《思想理论教育导刊》2011年第1期。

(3) 谭玉敏、梅荣政：《“以人民为中心”思想的理论源头——纪念〈共产党宣言〉发表170周年》，《红旗文稿》2018年第4期。

深度思考

(1) 马克思、恩格斯曾预言美俄两国将发生规模庞大的无产阶级革命，为什么最终只有俄国发展起来了？

(2) 马克思起草的“能使一切党派都满意的纲领”是否具有“普世意义”，在实际中应当怎样运用？

(3) 恩格斯曾认定“工人的解放应当是工人阶级自己的事情”，那么如何理解我国的工农联盟？

Reading & Interpretation

大家写小书·马恩经典著作新读

第 三 章

对《宣言》第一章的解读

马克思、恩格斯在《宣言》第一章中阐述了阶级斗争的一般原理，第一次对资本主义的产生、发展及历史命运作了深入系统的分析，也深刻阐明了无产阶级的历史地位和历史使命，科学论证了资产阶级的灭亡和无产阶级的胜利是不可避免的客观规律。

一、对阶级斗争理论的阐释

正如1883年德文版序言和1888年英文版序言所言，“人类的全部历史（从土地公有的原始氏族社会解体以来）都是阶级斗争的历史”①。它构成了《宣言》最核心的思想。阶级斗争理论如同一根主线贯穿于《宣言》的始终，成为科学分析资产阶级及无产阶级的产生、发展的基础与前提。

首先，揭示了阶级斗争存在的客观必然性。正文开篇指出的“至今一切社会的历史都是阶级斗争的历史”②，揭示了阶级斗争存在的客观必然性，也表明了马克思、恩格斯是用唯物史观的阶级斗争学说来考察人类社会历史的。在马克思、恩格斯看来，自人类社会产生阶级后，始终存在着阶级对立和阶级斗争，历史上出现过的“自由民和奴隶、贵族和平民、领主和农奴、行会师傅和帮工”③，作为压迫者和被压迫者始终在“进行不断的、有时隐蔽有时公开的斗争”④，正是由于阶级斗争的存在，研究人类社会历史必须要学会运用阶级及阶级斗争

①《马克思恩格斯选集》第1卷，北京：人民出版社，2012年，第385页。
②《马克思恩格斯选集》第1卷，北京：人民出版社，2012年，第400页。
③《马克思恩格斯选集》第1卷，北京：人民出版社，2012年，第400页。
④《马克思恩格斯选集》第1卷，北京：人民出版社，2012年，第400页。

理论。

其次，阐明了阶级斗争在阶级社会发展中的作用。进入阶级社会以来，被压迫阶级反抗压迫阶级的阶级斗争构成了人类社会发展的直接动力。“每一次斗争的结局都是整个社会受到革命改造或者斗争的各阶级同归于尽。”[1]《宣言》对阶级和阶级斗争历史作用的考察，是基于生产力和生产关系矛盾运动的深入研究，是同对生产发展的历史分析联系在一起的。

最后，分析了资本主义社会中阶级对立的新特点。随着社会形态的更替，阶级斗争在不同历史时期呈现出不同的表现形式。基于所处的阶级矛盾日益激化的资本主义社会，马克思、恩格斯首先指出阶级对立和阶级斗争并没有消失，“它只是用新的阶级、新的压迫条件、新的斗争形式代替了旧的”[2]。随后进一步分析了资本主义社会中阶级对立的特点：“整个社会日益分裂为两大敌对的阵营，分裂为两大相互直接对立的阶级：资产阶级和无产阶级。”[3]即整个社会结构日益简单化，形成了两级化的阶级对立格局。

马克思主义阶级斗争理论是历史唯物主义的一个重要理论，不仅在《宣言》中，在整个马克思主义理论体系中都占有重要地位，马克思、恩格斯将这一理论作为不管情况发生多大变化仍是“完全正确”的理论。

---

①《马克思恩格斯选集》第1卷，北京：人民出版社，2012年，第400页。
②《马克思恩格斯选集》第1卷，北京：人民出版社，2012年，第401页。
③《马克思恩格斯选集》第1卷，北京：人民出版社，2012年，第401页。

二、资产阶级的产生及发展

在阶级斗争理论的基础上，马克思、恩格斯深入阐述了资产阶级的产生及发展历程，辩证分析了资产阶级的进步性和局限性。

（一）资产阶级的产生及发展

任何阶级从产生到发展都与一定历史阶段的生产力发展密切相连，正如马克思、恩格斯强调的，资产阶级"是社会生产方式和交换方式的一系列变革的产物"[①]。尽管相对于封建社会而言，资产阶级是一个新的阶级，但也不是凭空而来的，而是从中世纪的农奴中产生了城关市民，进而逐步发展起来的。在封建社会灭亡中产生的资产阶级经历了从单纯协作到工场手工业，从工场手工业到机器大工业三个阶段。与经济发展相伴随，资产阶级在政治发展上，也同样经历了三个阶段：由原来封建社会末期的被压迫者，到工场手工业者与封建贵族相抗衡，再到机器大工业建立时夺取政权。即资本主义经济的快速发展使得资产阶级一跃上升为统治阶级，并建立了代表其利益的资本主义制度。通过考察资产阶级经济及政治的规定性，马克思、恩格斯对资产阶级如何上升为统治阶级进行了分析和概括。

（二）资产阶级的"功"与"过"

马克思、恩格斯在《宣言》中运用矛盾分析法，辩证地分析了资产阶级的积极作用和历史局限性。

---

①《马克思恩格斯选集》第1卷，北京：人民出版社，2012年，第402页。

一方面，充分肯定了资产阶级在人类社会发展中所起到的积极作用。资产阶级在推翻封建统治、打破封建等级关系及其道德观念中，将人从封建的、宗法的关系中解放出来，使其摆脱了人身依附关系，从而使人类发展进入更高阶段。马克思、恩格斯指出，资产阶级生存的基础是对生产工具和生产关系的不断变革，正因如此，资产阶级创造了巨大的社会生产力，“在它的不到一百年的阶级统治中所创造的生产力，比过去一切世代创造的全部生产力还要多，还要大”[①]。但同时，为了追逐利润、开拓世界市场，资产阶级在全球各地掠夺原料、倾销商品，打破了各民族的原始封闭状态，“使一切国家的生产和消费都成为世界性的了”[②]，它以一种野蛮血腥的方式推动了人类文明的历史进程。

另一方面，揭示了资产阶级的历史局限性及其必然灭亡的历史命运。《宣言》阐述了资本主义的发展过程及其历史作用，同时分析了资本主义制度的内在矛盾。生产力和生产关系之间的矛盾是人类社会的基本矛盾，表现在资本主义社会就是生产的社会化与生产资料私人占有之间的矛盾。在资本主义私有制条件下，资本家为了获取更多利润，都想尽可能扩大生产，最后导致生产过剩，社会不可避免地出现周期性经济危机，其带来的结果就是对生产力的巨大破坏。经济危机的频繁爆发及其带来的严重后果，说明资本主义生产关系已经成为生产力进一步发展的桎梏，它的狭窄化“再容纳不了它本

---

①《马克思恩格斯选集》第1卷，北京：人民出版社，2012年，第405页。

②《马克思恩格斯选集》第1卷，北京：人民出版社，2012年，第404页。

身所造成的财富了”[①]。因此，当生产关系不适应甚至阻碍生产力的发展时，新的生产关系取代旧的生产关系就成为历史的必然，也就是马克思、恩格斯所言的："资产阶级用来推翻封建制度的武器，现在却对准资产阶级自己了。"[②]只有彻底推翻资本主义生产关系，生产力才能得到进一步解放，社会才能朝着更高阶段发展。马克思、恩格斯进一步论证了生产力和生产关系的矛盾运动是造成资产阶级局限性的根源，揭示了资本主义必然灭亡的历史趋势和历史必然性。

三、无产阶级的出场及壮大

在客观看待资产阶级的积极作用和历史局限性的基础上，马克思、恩格斯进一步分析了无产阶级从哪里产生、如何不断地发展壮大。

（一）无产阶级的"出场"

早期的资产阶级脱胎于城关市民中。大航海时代的来临、殖民地的开拓，为资产阶级的发展开辟出了新的天地；商业、航海业和工业的空前发展，使得市场需求激增。而封建的或行会的工业经营方式已经无法满足市场需求；工业革命的爆发，更是促进了资产阶级的快速发展。资产阶级在快速发展的同时，由于其固有的矛盾，产生了自身的对立者——无产阶级。

由于自身发展的需要，早期资产阶级和无产阶级有合作的一面，即应对共同的敌人——君主专制、封建土地所有制和

①《马克思恩格斯选集》第1卷，北京：人民出版社，2012年，第406页。
②《马克思恩格斯选集》第1卷，北京：人民出版社，2012年，第406页。

小资产阶级；随着资产阶级取得压倒性胜利，资产阶级的本性暴露无遗，对无产阶级的压迫、剥削不断加重。而周期性的商业危机一次又一次地将他们带入死亡的边缘，将无产者抛入贫困的深渊。要消灭这种贫困和这些灾难性的波动，必须建立一个全新的社会组织。然而，资产阶级囿于自身的缺陷无法承担这一使命，这个使命便历史性地落在无产阶级头上。事实证明，只有无产阶级才能建立全新的社会制度，以铲除资本主义生产方式的弊病。至此，无产阶级开始登上历史的舞台。

（二）无产阶级的"壮大"

随着大工业的发展和世界市场的开辟，资产阶级的发展驶上了快车道，与此同时，无产阶级也在同一程度上得到了发展。由于机器的推广和生产的分工，工人变成了机器的单纯附属品，"对于工人阶级来说，性别和年龄的差别再没有什么社会意义了。他们都只是劳动工具，不过因为年龄和性别的不同而需要不同的费用罢了。"[①]同时也使得"以前的中间等级的下层，即小工业家、小商人和小食利者，手工业者和农民——所有这些阶级都降落到无产阶级的队伍里来了……"[②]虽然从来源上看，他们与无产阶级有所不同，但由于受到大工业的挤压，他们也进入无产阶级的行列。大工业的发展，在刺激资本主义快速发展的同时，也使得越来越多的、不同阶级的居民进入无产阶级行列，他们除此之外别无选择，只能靠出卖自己的劳动力为生。"无产阶级就是这样从居民的所有阶级中得

①《马克思恩格斯选集》第1卷，北京：人民出版社，2012年，第408页。
②《马克思恩格斯选集》第1卷，北京：人民出版社，2012年，第408页。

到补充的。"[1]资本主义生产方式越发达、生产力越发展，就会有越多的民众被抛入无产阶级行列，使得无产阶级不断地发展、壮大。

四、无产阶级肩负的历史使命

马克思、恩格斯认为，在资本主义社会，无产阶级作为被压迫的阶级，代表着革命的新生力量。在资产阶级主导的社会里，整个社会服从于资产阶级的利益，但正是这种取向，使得资产阶级无法超出阶级局限，废除自己现存的占有方式，更新社会制度，改变周期性的商业危机，而"资产阶级无意中造成而又无力抵抗的工业进步，使工人通过结社而达到的革命联合代替了他们由于竞争而造成的分散状态"[2]。无产阶级革命的胜利也因为这种联合成为可能，而无产阶级意识的树立更为革命打下了基础。因此，基于社会基本矛盾运动的必然结果，马克思、恩格斯在《宣言》中得出了"资产阶级的灭亡和无产阶级的胜利是同样不可避免的"[3]这一科学论断。

在科学揭示这一社会发展客观规律的过程中，《宣言》也提出了无产阶级肩负的历史使命，那就是推翻资本主义和建设共产主义。无产阶级之所以能够承担这一历史使命，源于自身的三个特性：

一是无产阶级的先进性。首先，与和资产阶级对立的一切中间阶级相比，无产阶级并未随着大工业的发展而日趋走

①《马克思恩格斯选集》第1卷，北京：人民出版社，2012年，第408页。
②《马克思恩格斯选集》第1卷，北京：人民出版社，2012年，第412页。
③《马克思恩格斯选集》第1卷，北京：人民出版社，2012年，第413页。

向没落甚至灭亡，相反，无产阶级本身就是大工业的产物，它的生存和发展都是同大工业联系在一起的。由于机器大工业生产是当时最先进、最有效率的生产方式，所以无产阶级也就成为先进生产力的代表。其次，无产阶级的先进性还源于在政治思想上的发展与成熟。在早期同资产阶级联合反对旧社会内部的斗争中，越来越多的教育因素被加入到无产阶级当中；同时，也有部分的资产阶级思想家归附到无产阶级队伍中来，带来大量的政治文化知识，继而，无产阶级在革命运动中也学会了政治斗争的策略和方法，政治思想不断成熟，阶级意识不断增强，促进无产阶级获得了反对资产阶级的先进斗争武器。

二是无产阶级的革命性。在1888年英文版的《宣言》中，恩格斯以注释形式对无产阶级的概念作了明确界定："无产阶级是指没有自己的生产资料，因而不得不靠出卖劳动力来维持生活的现代雇佣工人阶级。"[①]在一切阶级中，无产阶级是真正革命的阶级。它的革命性首先源于它没有独立的生产资料，与过去一切阶级在取得斗争胜利后总是以此获得更多财富和巩固阶级地位相比，无产阶级没有什么东西必须加以保护了，只有废除现存的占有方式才能取得社会生产力的发展。其次，无产阶级作为最受压迫、歧视、奴役的阶级，清醒地认识到与资产阶级之间的矛盾有着不可调和性，也深刻认识到它必须通过解放自己，才能摆脱贫困和被奴役，改变永远处于被剥削、被压迫的社会地位。因此，它开始自发组织运动，

①《马克思恩格斯文集》第2卷，北京：人民出版社，2009年，第31页。

与资产阶级进行斗争，并在斗争中明确了自己的使命，即为实现自身解放和全人类解放进行斗争。

三是无产阶级的组织性。一方面，无产阶级的组织性成长于社会化大生产条件下。大工业的发展带来工厂规模的不断扩大，越来越多的工人被集中起来，“挤在工厂里的工人群众就像士兵一样被组织起来”[①]，也因此，社会化大生产为无产阶级组织性的成长创造了客观条件。另一方面，无产阶级的组织性在与资产阶级的斗争中不断加强。与最开始无产阶级处于被动地位，资产阶级取得节节胜利不同，无产阶级的力量日益增长，“不仅人数增加了，而且合成更大的集体”[②]。在这种情况下，工人势必走向联合，并且开始建立反对资产者的同盟，甚至成立了经常性的组织。无产者逐渐成为一个阶级，并开始有了自己的政党。而交通工具的日益发达，也将地方性的斗争汇成了全国性的斗争，最终汇合成阶级的斗争。

小　结

作为《宣言》正文内容的开篇，第一章“资产阶级和无产者”以唯物史观对人类社会特别是资本主义社会进行了科学分析，从社会基本矛盾运动出发，分析了资本主义社会中资产阶级和无产阶级的形成、发展以及彼此之间的对立和斗争，深刻揭示了资本主义社会的发展规律和必然趋势，阐明了无产阶级的伟大历史使命。《宣言》阐述的理论，特别是“两个必然”理论以其科学性和真理性为坚定共产主义信念提供了根本依

①《马克思恩格斯选集》第1卷，北京：人民出版社，2012年，第407页。

②《马克思恩格斯选集》第1卷，北京：人民出版社，2012年，第409页。

据。党的十八大以来，习近平总书记多次提到树立共产主义理想信念的重要性，树立共产主义理想信念的前提就是要学懂弄深《宣言》中的“两个必然”理论。在整个社会主义发展的历史进程中，只有始终坚信“两个必然”理论，始终坚定共产主义理想信念，不改旗帜、不言放弃，才能为维护无产阶级专政和社会主义制度做出重要贡献。

知识链接

★ 习近平对马克思主义关于世界历史思想的论述 ★

学习马克思，就要学习和实践马克思主义关于世界历史的思想。马克思、恩格斯说：“各民族的原始封闭状态由于日益完善的生产方式、交往以及因交往而自然形成的不同民族之间的分工消灭得越是彻底，历史也就越是成为世界历史。”马克思、恩格斯当年的这个预言，现在已经成为现实，历史和现实日益证明这个预言的科学价值。今天，人类交往的世界性比过去任何时候都更深入、更广泛，各国相互联系和彼此依存比过去任何时候都更频繁、更紧密。一体化的世界就在那儿，谁拒绝这个世界，这个世界也会拒绝他。

——习近平《在纪念马克思诞辰200周年大会上的讲话》(2018年5月4日)

延伸阅读

(1) 陈学明：《重读〈共产党宣言〉》，北京：人民出版社，2018年。

(2) 陈培永：《〈共产党宣言〉的新时代阐释——重解核心关键词》，北京：中国社会科学出版社，2018年。

(3) 杨河：《“两个必然”仍然是时代发展大趋势》，《人民日报》

2016年2月26日。

深度思考

（1）“无产者只有废除自己的现存的占有方式，从而废除全部现存的占有方式，才能取得社会生产力。”上文中提到的两个占有方式是否一样？

（2）在与资产阶级斗争的过程中，无产阶级是如何实现从自在阶级转化成自为阶级，从无组织的斗争转化为有组织、有意识的斗争的？

（3）如何认识阶级斗争和历史发展规律的内在联系？

（4）怎样认识无产阶级的阶级特性和历史使命？

第四章

对《宣言》第二章的解读

马克思、恩格斯作为马克思主义的奠基人，在进行艰深的理论研究的同时，积极参与、指导国际共产主义运动，力图将刚刚诞生的马克思主义科学理论与国际共产主义运动相结合。《宣言》不仅是改组正义者同盟使之成为真正的在马克思主义指导下建立的无产阶级政党的纲领，也是国际共产主义运动的第一个纲领性文献，为国际共产主义运动提供了科学的理论指导。马克思、恩格斯针对正义者同盟在理论上所坚持的空想共产主义观点和在实践上所实行的宗派、密谋性的斗争方式的错误，从马克思主义的立场、观点出发，系统阐释了马克思主义建党理论，奠定了马克思主义建党学说的基础。《宣言》第二章“无产者和共产党人”主要围绕着共产党人是什么人、共产党人遭遇的责难、共产党人的近期任务、共产党人的远大目标而展开，集中体现了马克思、恩格斯的党建思想。

一、共产党人是什么人

毛泽东把党的建设称为“伟大的工程”[①]，因为党的建设不仅是关乎党生死存亡的大事，而且是关乎国际共产主义运动取得最终胜利的大事。作为国际共产主义运动的导师，马克思、恩格斯指出，无产阶级要取得胜利，首先必须建立自己的政党来组织并领导工人运动。共产党作为第一个在马克思主义科学理论指导下成立的工人阶级政党，要领导工人运动，需要首先明确自己的性质，即回答共产党人是什么人这一问题。

①《毛泽东选集》第2卷，北京：人民出版社，1991年，第602页。

第一，共产党人没有自己的特殊利益。《宣言》认为共产党作为无产阶级政党，它所代表的是全体无产者，因此，马克思、恩格斯指出，从性质上来看，共产党人与其他工人政党并无不同，共产党人并不是一个“特殊政党”，但共产党不仅是一个工人政党、一个无产阶级政党，更是全体无产者的党，是全体无产者利益的根本代表者。因此，共产党人和整个无产阶级没有任何不同的利益追求，也不同其他工人政党对立。

第二，共产党人始终代表整个运动的利益。共产党人与其他工人政党相比，“一方面，在无产者不同的民族的斗争中，共产党人强调和坚持整个无产阶级共同的不分民族的利益；另一方面，在无产阶级和资产阶级的斗争所经历的各个发展阶段上，共产党人始终代表整个运动的利益”[①]。而这两个方面落实到实践上和理论上的情况是：“在实践方面，共产党人是各国工人政党中最坚决的、始终起推动作用的部分；在理论方面，他们胜过其余无产阶级群众的地方在于他们了解无产阶级运动的条件、进程和一般结果。”[②]因此，共产党人不仅代表着整个运动的利益，而且共产党人始终和无产阶级利益相一致。

第三，共产党人的近期任务是夺取政权。面对无产阶级受剥削、受压迫的现实，对于共产党人而言就是要领导无产阶级不断进行阶级斗争，直到废除资本主义制度，建立无产阶级政权。“共产党人的最近目的是和其他一切无产阶级政党的最近目的一样的：使无产阶级形成为阶级，推翻资产阶级的统

①《马克思恩格斯选集》第1卷，北京：人民出版社，2012年，第413页。

②《马克思恩格斯选集》第1卷，北京：人民出版社，2012年，第413页。

治，由无产阶级夺取政权。”[①]

第四，共产党人就是要消灭私有制。因为资本主义私有制不仅是资本主义社会一切罪恶的来源，也是无产阶级和资产阶级之间不可调和的阶级矛盾的根源。资本主义私有制的存在，是导致无产阶级被剥削、被压迫的基础。无产阶级要改变自己的这一命运，就要从根本上铲除、消灭剥削与压迫产生的根源——私有制，“从这个意义上说，共产党人可以把自己的理论概括为一句话：消灭私有制”[②]。

二、共产党人遭遇的责难

在共产党人明确提出自己“消灭私有制”的主张后，遭受到了来自多方的责难，在《宣言》中包含以下十条内容：一是责备共产党欲图消灭个人所有财产；二是责备共产党明确提出消灭资本主义私有制；三是有人反驳说消灭了私有制，懒惰之风就会兴起；四是责备共产党要消灭家庭；五是责备共产党要消灭父母对子女的剥削；六是责备共产党用社会教育代替家庭教育；七是责备共产党人要实现所谓的公妻制度；八是责备共产党要取消祖国、取消民族；九是从宗教、哲学和意识形态方面提出了种种责难；十是责备共产党人要废除永恒真理，废除宗教，废除道德。

对于这些责难，马克思、恩格斯一一进行了回应：

对于第一个责难，马克思、恩格斯回应：“现代的资产阶级私有制是建立在阶级对立上面、建立在一些人对另一些人的

① 《马克思恩格斯选集》第1卷，北京：人民出版社，2012年，第413页。
② 《马克思恩格斯选集》第1卷，北京：人民出版社，2012年，第414页。

剥削上面的产品生产和占有的最后而又最完备的表现。"[①]而随着生产力的发展，资本主义的生产方式已经成为制约生产力发展的桎梏。资本主义社会所出现的周期性的经济危机，已经动摇了资产阶级统治的基础，严重影响到了社会经济的发展，而这一切都是由生产资料资产阶级私人占有所造成的。因此，必须废除资本主义私有制。

对于第二个责难，马克思、恩格斯指出：首先，"废除先前存在的所有制关系，并不是共产主义所独具的特征。一切所有制关系都经历了经常的历史更替、经常的历史变更"[②]。所以，一切所有制关系并不是神圣不可触动的，而是处于历史的变动中；其次，"共产主义的特征并不是要废除一般的所有制，而是要废除资产阶级的所有制"[③]。

对于第三个责难，马克思、恩格斯认为，在资本主义生产方式之下，工人作为劳动者，被雇佣、被剥削、被压迫，而生产的产品却被资产阶级无偿占有，导致在资本主义社会中劳者不获、获者不劳。资产阶级故意选择无视这样的现实，才会发出这样的指责。因此，马克思、恩格斯指出，共产党人就是要废除资本主义私有制，"共产主义并不剥夺任何人占有社会产品的权利，它只剥夺利用这种占有去奴役他人劳动的权利"[④]。

对于第四个责难，马克思、恩格斯指出，资本主义社会中的家庭"是建立在资本上面，建立在私人发财上面的……而无

①《马克思恩格斯选集》第1卷，北京：人民出版社，2012年，第414页。
②《马克思恩格斯选集》第1卷，北京：人民出版社，2012年，第414页。
③《马克思恩格斯选集》第1卷，北京：人民出版社，2012年，第414页。
④《马克思恩格斯选集》第1卷，北京：人民出版社，2012年，第416页。

产者的被迫独居和公开的卖淫则是它的补充”[1]。在资本主义社会的家庭中，妻子、子女处于被支配的地位。“资产者是把自己的妻子看作单纯的生产工具的。”[2]消灭资本主义私有制，就是要使得妻子、子女不再处于单纯生产工具的地位，不再处于被支配的地位，而是回归到应有的地位。

对于第五个责难，马克思、恩格斯认为，在资本主义社会，随着大工业的发展，所要求的市场化的加速，子女在家庭中越来越成为单纯的商品和劳动工具。家庭早已撕去温情的面纱，成了金钱的家庭。因而，共产党人就是要通过废除资本主义私有制，消灭在资本主义社会中存在的父母对子女的剥削，使得父母不再将子女视作商品和劳动工具。

对于第六个责难，马克思、恩格斯指出，在资本主义社会，教育受社会决定，资本主义的生产方式决定了教育的性质，而共产党人并不是要废除教育，恰恰与此相反，共产党人所做的只是改变教育的性质，让教育为更多人服务。

对于第七个责难，马克思、恩格斯认为，在资本主义社会，资本主义私有制作为家庭建立的基础，已经决定了妻子属于被支配的地位。他们日益成为单纯的商品和劳动工具。由于妇女的权利被剥夺，为了维持生计，她们不得不选择出卖肉体以谋生。因此，“资产阶级的婚姻实际上就是公妻制”[3]。在消灭资本主义私有制后，妇女获得了自由，自己可以通过劳动养活自己并在劳动中实现自身价值，最终“资产者的家庭自然会

---

①《马克思恩格斯选集》第1卷，北京：人民出版社，2012年，第417—418页。

②《马克思恩格斯选集》第1卷，北京：人民出版社，2012年，第418页。

③《马克思恩格斯选集》第1卷，北京：人民出版社，2012年，第419页。

随着它的这种补充的消失而消失，两者都要随着资本的消失而消失”[①]。

对于第八个责难，马克思、恩格斯认为，在资本主义社会，无产者作为劳动力商品，所具有的是商品属性，而商品并无国界。加之大工业的发展，使得生产和消费全球化，原来民族、国家存在阶段横亘在各国人民之间的民族分隔和对立日益消失。伴随着历史进入世界历史阶段，国家和民族的界限日益模糊，逐渐凸显的是资产阶级和无产阶级之间的对立，资产阶级强调的国家作为压迫无产阶级的国家机器就应该被取消。因此，共产党人就是要“取消祖国，取消民族”[②]。消灭资本主义私有制，不仅是消灭人与人之间的剥削，也是消灭民族与民族、国家与国家之间的剥削，“人对人的剥削一消失，民族对民族的剥削就会随之消灭。民族内部的阶级对立一消失，民族之间的敌对关系就会随之消失”[③]。

对于第九个责难，马克思、恩格斯认为：“人们的意识，随着人们的生活条件、人们的社会关系、人们的社会存在的改变而改变……精神生产随着物质生产的改造而改造……”[④]因此，伴随着资本主义社会的消亡，宗教、哲学和意识形态方面必然会发生改变。

对于第十个责难，马克思、恩格斯认为，“你们的观念本身是资产阶级的生产关系和所有制关系的产物，正像你们的法

①《马克思恩格斯选集》第1卷，北京：人民出版社，2012年，第418页。
②《马克思恩格斯选集》第1卷，北京：人民出版社，2012年，第419页。
③《马克思恩格斯选集》第1卷，北京：人民出版社，2012年，第419页。
④《马克思恩格斯选集》第1卷，北京：人民出版社，2012年，第419—420页。

不过是被奉为法律的你们这个阶级的意志一样，而这种意志的内容是由你们这个阶级的物质生活条件来决定的”①。一旦资本主义私有制被废除，旧的经济基础发生改变，也就意味着原来的、旧的观念也会随之改变，整个上层建筑将发生根本性变革，“共产主义革命就是同传统的所有制关系实行最彻底的决裂；毫不奇怪，它在自己的发展进程中要同传统的观念实行最彻底的决裂”②。

三、共产党人的任务

邓小平曾指出：“我相信，凡是符合最大多数人的根本利益，受到广大人民拥护的事情，不论前进的道路上还有多少困难，一定会得到成功。”③共产党作为无产阶级政党，就是要取得对资产阶级斗争的胜利，建立无产阶级政权，以保障最广大人民的根本利益，只有这样才能得到最广大人民的拥护，才能实现共产主义。但是由于斗争的复杂性，共产党人要实现自己的任务，必须采取必要的策略，打好基础，一步一个脚印，为实现共产主义而奋斗。

第一，无产阶级必须首先成为一个阶级。当时，由于无产阶级并没有真正成为一个阶级，它对于自己的阶级地位和历史任务缺乏科学的认识，加之缺乏科学的理论指导和强有力的组织领导，致使无产阶级不能与资产阶级相对抗，而是被资产阶级所瓦解，工人运动的失败也就不可避免。因此，共产党

①《马克思恩格斯选集》第1卷，北京：人民出版社，2012年，第417页。
②《马克思恩格斯选集》第1卷，北京：人民出版社，2012年，第421页。
③《邓小平文选》第3卷，北京：人民出版社，1993年，第142页。

要实现自己的目的首先就要“使无产阶级形成为阶级”[①]，从而可以真正联合起来对抗资产阶级。

第二，推翻资产阶级统治，建立自己的政权。对于共产党人而言，首先要取得对资产阶级斗争的胜利，建立自己的政权，消灭旧的生产关系。马克思、恩格斯指出，“如果说无产阶级在反对资产阶级的斗争中一定要联合为阶级，通过革命使自己成为统治阶级，并以统治阶级的资格用暴力消灭旧的生产关系，那么它在消灭这种生产关系的同时，也就消灭了阶级对立的存在条件，消灭了阶级本身的存在条件，从而消灭了它自己这个阶级的统治”[②]，最终进入共产主义社会。要实现这一目标，共产党人必须要有自己的政党和斗争纲领。

第三，坚持党的基本策略原理，并对工人不断进行教育。对于无产阶级而言，为了实现建立自己的政权这个近期任务，并不拒绝参与资产阶级民主革命，以反对共同的敌人——君主专制、封建土地所有制和小资产阶级。但在和资产阶级合作的过程中，共产党人也要清醒地认识到资产阶级才是自己最大的敌人。因此，共产党和无产阶级必须坚持革命运动的发展方向，在实现近期任务目标的同时，不能无视消灭资本主义私有制、实现共产主义的远大目标，必须将近期任务目标和远大目标相结合。在这个过程中，虽然大工业的发展在壮大无产阶级队伍的同时也带来了大量的教育因素，但是共产党人仍需要不断进行对工人的教育，以不断培养无产阶级的斗争意识，不断加强无产阶级的团结。同时，需要将马克思主义

①《马克思恩格斯选集》第1卷，北京：人民出版社，2012年，第413页。

②《马克思恩格斯选集》第1卷，北京：人民出版社，2012年，第422页。

科学理论与本国实际、与国际工人运动的需要相结合，不断总结出适应本国实际和革命需要的斗争方式，从而最终取得阶级斗争的胜利，并建立自己的政权。

四、共产党人的远大目标

党的十八大以来，习近平总书记多次强调："革命理想高于天。"《宣言》作为马克思主义诞生的重要标志，通过揭示人类社会最终走向共产主义社会的必然趋势，为共产党人指明了方向。即对于共产党人而言，不仅要建立自己的政权，更要实现自己的远大目标——实现共产主义。共产党人消灭资本主义私有制，就是要消灭资产阶级以榨取剩余劳动为目的的生产方式，彻底改变无产阶级被束缚在资本主义生产方式之下被剥削、被压迫的状况，建立以自由劳动和人的自由发展为目的的生产方式，从而将劳动真正变成一种"扩大、丰富和提高工人的生活的一种手段"[①]，最终实现共产主义。为了实现这一远大目标，马克思、恩格斯号召"全世界无产者，联合起来！"[②]

第一，推动全世界无产者的联合。在马克思、恩格斯看来，随着历史条件的改变，共产党人要超出当时流行的其他工人阶级政党狭隘的民族国家眼光，将无产阶级、世界无产阶级革命运动看成一个整体，走全世界无产者联合的道路。马克思、恩格斯指出，随着自由贸易和世界市场的开辟，资产阶级获得了前所未有的发展；世界历史的形成，导致各国人民的生活条件逐渐趋于一致，传统意义上的民族、国家界限逐渐模

①《马克思恩格斯选集》第1卷，北京：人民出版社，2012年，第415页。
②《马克思恩格斯选集》第1卷，北京：人民出版社，2012年，第435页。

糊，而代之以资产阶级和无产阶级的对立，“单是大工业建立了世界市场这一点，就把全球各国人民，尤其是各文明国家的人民，彼此紧紧地联系起来，以致每一个国家的人民都受到另一国家发生的事情的影响。此外，大工业使所有文明国家的社会发展大致相同，以致在所有这些国家，资产阶级和无产阶级都成了社会上两个起决定作用的阶级，它们之间的斗争成了当前的主要斗争”[①]。因此，面对强大的资产阶级这个敌人，全体无产者必须联合起来。

第二，推进共产主义的实现。对于共产党人而言，其远大目标是推翻旧社会，创造出一个全新的没有剥削和压迫、人自由发展的共产主义社会。在实现共产主义的过程中，“联合的行动，至少是各文明国家的联合的行动，是无产阶级获得解放的首要条件之一”[②]。而当无产阶级完成近期任务即夺取政权，将无产阶级变为统治阶级之后，无产阶级还必须继续进行革命，“无产阶级将利用自己的政治统治，一步一步地夺取资产阶级的全部资本，把一切生产工具集中在国家即组织成为统治阶级的无产阶级手里，并且尽可能快地增加生产力的总量”[③]。为实现无产阶级革命运动的远大目标——共产主义而创造条件，“代替那存在着阶级和阶级对立的资产阶级旧社会的，将是这样一个联合体，在那里，每个人的自由发展是一切人的自由发展的条件”[④]。

---

①《马克思恩格斯选集》第1卷，北京：人民出版社，2012年，第306页。

②《马克思恩格斯选集》第1卷，北京：人民出版社，2012年，第419页。

③《马克思恩格斯选集》第1卷，北京：人民出版社，2012年，第421页。

④《马克思恩格斯选集》第1卷，北京：人民出版社，2012年，第422页。

小　结

本章不仅明确了共产党人作为无产阶级政党的性质，更逐步阐述了共产党人的任务以及实现共产主义社会的途径；不仅深刻阐明了共产党人的建党理论，还结合无产阶级及其政党的斗争纲领，提出了党的基本策略原理，指出了共产党及其领导的无产阶级革命的近期任务和远大目标。

延伸阅读

（1）马克思：《1844年经济学哲学手稿》，北京：人民出版社，2018年。

（2）马克思、恩格斯：《德意志意识形态（节选本）》，北京：人民出版社，2019年。

深度思考

（1）既然在马克思、恩格斯的时代，无产阶级已经存在，为什么马克思、恩格斯还要强调使无产阶级成为"阶级"？

（2）如何理解马克思、恩格斯所说的"消灭家庭"？

（3）如何理解马克思、恩格斯阐述的共产党？

Reading & Interpretation

大家写小书·马恩经典著作新读

第五章

对《宣言》第三章的解读

在本章中，马克思、恩格斯通过揭示形形色色的社会主义流派的阶级本质，批判其历史局限性，指出其进步意义，进一步正本清源，为工人阶级摆脱这些社会主义流派的迷惑性，寻找科学的道路指明了方向。

一、马克思、恩格斯为什么批判各种社会主义流派

共产主义从理想变为现实，需要经历相当漫长的过程。对于国际共产主义运动而言，其中既有来自于旧社会的直接挑战，也有旧事物改头换面伪装为新事物，从内部对其进行瓦解的隐形挑战。如果说前者就像刀戟一样残忍地将工人运动扼杀在萌芽状态，那么后者则像麻醉剂一样，将工人运动引入死胡同。后者包括本章中马克思、恩格斯批判的各种类型的社会主义流派。

马克思、恩格斯善于立足于现实的生产方式分析各种社会主义和共产主义流派的立场和观点，通过揭示各种流派的阶级立场和阶级基础，帮助工人阶级认清真正的敌人和真正的朋友。因为，在当时的历史条件下，社会主义是一种时髦品，各种阶级，包括部分封建贵族阶级、小资产阶级、资产阶级改良派等都打着“社会主义”的旗号，妄图从中获取利益。

二、对各种社会主义流派的分析

马克思、恩格斯在本章中按照各种流派的阶级本质，将其分为三种类型，分别是反动的、保守的和批判的社会主义。这三种社会主义的主张都被烙上所谓“社会主义”的印记，因此对工人阶级来说都具有迷惑性。但是，因为其阶级属性的不

同，其具体的主张又具有特殊性。

（一）反动的社会主义

反动的社会主义分别为：封建的社会主义、小资产阶级的社会主义、德国的或“真正的”社会主义。马克思、恩格斯一语道破封建的社会主义的实质，即表面上封建的社会主义是对资本主义社会的诅咒，实则是打着“社会主义”的旗号，妄图复辟和维护已经被历史淘汰的封建制度；与此类似，小资产阶级的社会主义妄图维护旧有的生产关系，恢复行会制度和宗法经济；“真正的社会主义”则试图以哲学思辨的方式，反抗资产阶级运动，最终维护封建市民阶级的利益。因此，在《宣言》中，马克思、恩格斯把这三种社会主义归纳为反动的社会主义。反动的社会主义之所以危害极大，在于他们违背历史发展规律，维护落后的生产力和生产关系。

1. 封建的社会主义

代表阶级和主要代表人物：法国和英国的封建贵族阶级，法国正统派的维尔纽夫、巴热尔蒙，英国“青年英国社”的迪斯累里、波尔斯维克等人。

封建的社会主义在19世纪30—40年代的法英两国比较盛行。法、英两国的封建贵族分别在本国的“七月革命”和“选举法改革”中被资产阶级击败。无奈之下，他们便以“同情工人”的面貌示人，新瓶装旧酒，给没落的封建贵族绘上“社会主义”的唯美色彩，以期获得工人的支持。

封建的社会主义违背历史潮流，似乎是对资本主义采取了一种诅咒的态度，但他们反对资产阶级的斗争只是一种文字的形式，从表面上看同情工人的利益，其实只是为了激起同情，“似乎他们已经不关心自身的利益，只是为了被剥削的工人阶级的利益才去写对资产阶级的控诉书”[①]。而在政治实践中，封建贵族参与了所有对工人阶级的暴力活动，还责备资产阶级催生了无产阶级。

知识链接 ……………………………………………………………

★ 正统派 ★

正统派是法国代表大土地贵族和高级僧侣利益的波旁王朝（1589—1792年和1814—1830年）的拥护者。1830年波旁王朝第二次被推翻以后，正统派结成政党。在反对以金融贵族和大资产阶级为支柱的奥尔良王朝时，一部分正统派常常抓住社会问题进行蛊惑宣传，标榜自己，维护劳动者的利益，使他们不受资产者的剥削。

2. 小资产阶级的社会主义

代表阶级和主要代表人物：小资产阶级，西斯蒙第。

19世纪中期，在农业人口较多，工商业发展程度一般的国家，随着资本主义的萌芽，农民和小手工业者阶层中形成了新兴的小资产阶级。

因为自身的软弱性，小资产阶级只能站在小资产阶级的立场上批判资本主义。其最大的特点在于，它摇摆于无产阶级和资产阶级之间，在阶级内部经常出现分化。一方面，小资产阶级可以作为资产阶级的补充部分进入资产阶级的队伍；另一方面，他们也会因为激烈的竞争关系而被迫加入无产阶

①《马克思恩格斯选集》第1卷，北京：人民出版社，2012年，第423页。

级的行列。一旦他们被抛入无产阶级的队伍，随着生存权利和经济状况的恶化，他们企图恢复以往的所有制关系和旧的社会制度的想法就越发强烈，工业中的行会制度，农业中的宗法经济是他们追求的目的。

3. 德国的或“真正的”社会主义

代表阶级和代表人物：德国小市民、小资产阶级，莫斯·赫斯、格律恩、克利盖、施蒂纳等人。

德国是一个拥有思辨传统的国家，德国古典哲学创造了西方哲学的高峰，以康德、黑格尔、海德格尔为代表的德国哲学家是人类哲学史上的领袖人物。这成为孕育德国的或“真正的”社会主义的文化土壤。19世纪40年代，当时的德国尚未发生资产阶级革命，因此，无产阶级的首要任务是推翻封建专制，为社会主义扫清障碍。然而，德国的社会主义充当了德国小市民的代言人，将法国的社会主义文献进行了德国式的阉割，形成了一种纯粹思辨式的附会，并称之为“真正的社会主义”“社会主义的哲学论证”。

知识链接

★“真正的社会主义”★

“真正的社会主义”是从1844年起在德国知识分子中间传播的一种小资产阶级社会主义学说，其代表人物有卡·格律恩、莫·赫斯和海·克利盖等人。“真正的社会主义者”宣扬超阶级的爱、抽象的人性和改良主义思想，拒绝进行政治活动和争取民主的斗争，否认进行资产阶级民主革命的必要性。在19世纪40年代的德国，这种学说阻碍了工人运动的蓬勃发展，不利于团结民主力量进行反对专制制度和封建秩序的斗争，不利于在革命斗争的基础上形成独立的无产阶级运动。因此，该学说受到了马克思和恩格斯的强烈批判。

（二）保守的社会主义

代表阶级和代表人物：资产阶级，普鲁东等。

随着资本主义的发展，其衍生的社会问题越发突出。为了解决这些社会问题，保守的或资产阶级的社会主义主张在保存资本主义制度的大前提下，实行局部社会改良。然而，作为资本主义制度的既得利益者，资产阶级必然会想方设法地巩固现有制度，他们主张经济改革，但是不主张通过政治革命来满足工人阶级的利益主张。因为资产阶级的阶级本质，这种社会主义最终实现的目标，不过是自由贸易、保护关税和单人牢房。

（三）批判的空想的社会主义或共产主义

主要代表人物：圣西门、傅立叶和欧文。

批判的空想的社会主义或共产主义认为，无产阶级只是一个全社会受苦最深的阶级之一，他们的目标在于改善一切成员的生活状况。这种社会主义或共产主义忽视人类社会发展的物质基础，提出了一系列对未来社会的构想，具有空想性质。他们主张消灭城乡对立、消灭家庭、消灭私人盈利、消灭雇佣劳动、提倡社会和谐、把国家变成纯粹的生产管理机构等六大变革，但却看不到促使这些变革的物质力量。

空想的社会主义直接批判资本主义制度，从理论上揭示出经济状况是政治制度的基础,甚至指出私有制是产生阶级和阶级剥削的最终根源;在情感上,他们同情无产阶级,但是却与保守的社会主义一样,反对一切暴力革命。他们寄希望于通过宣传和示范,为新的社会制度开辟道路;在规划未来社会时,立足点不是现实的社会条件,而是从历史唯心主义出发,幻想未来理想社会的图景。

三、马克思、恩格斯对各种社会主义流派的批判

马克思、恩格斯运用历史唯物主义和辩证唯物主义的分析方法,展开了对各种社会主义流派的批判。在批判的过程中,分析了各种社会主义流派的阶级本质,一方面揭示出各种社会主义流派的历史局限性,另一方面肯定了某些社会主义流派的进步意义。

(一)马克思、恩格斯对反动的社会主义流派的批判

1. 马克思、恩格斯对封建的社会主义的批判

马克思、恩格斯以洞若观火的视角揭示出:封建的社会主义代表的是业已被历史大潮所吞没的封建阶级的利益,他们之所以打着社会主义的旗号,无非是通过争取工人阶级的同情,来对抗摧毁自己阶级的资产阶级。因此,无论从阶级立场,还是从斗争方式来看,封建的社会主义都具有极强的反动性。

封建贵族在经济上压榨工人、在政治上压迫工人,一直都站在工人阶级的对立面,却幻想在意识形态上笼络工人阶级。

2. 马克思、恩格斯对小资产阶级的社会主义的批判

小资产阶级的社会主义具有一定的历史进步意义,这种

社会主义能够站在经济学的角度分析现代生产关系中的矛盾，客观地分析小资产阶级和小农，在资本主义生产大潮中逐渐失去立足之地的现实状况。但是，小资产阶级的社会主义主张保留以往落后的生产关系。“这种社会主义按其实际内容来说，或者是企图恢复旧的生产资料和交换手段，从而恢复旧的所有制关系和旧的社会，或者是企图重新把现代的生产资料和交换手段硬塞到已被它们突破而且必然被突破的旧的所有制关系的框子里去。”①

3. 马克思、恩格斯对德国的或“真正的”社会主义的批判

德国的或“真正的”社会主义颠倒了物质现实和思想意识的关系，将思想与现实世界的关系本末倒置，即从观念出发解释世界。在当时德国的历史背景下，来自法国的理论只具有文献参考的意义，没有指导实践的价值。于是，德国的或“真正的”社会主义变成关于真正的社会、关于实现人的本质的无谓思辨。因而，这种社会主义在形式上具有思辨性，在阶级立场上具有反动性，不可能支持工人阶级的革命。

（二）马克思、恩格斯对保守的社会主义流派的批判

《宣言》首先肯定了资本主义的进步意义。资产阶级促进了生产力的发展，资产阶级改变了封建割据状态，使得人类社会迈向更高的社会形态。与此同时，新兴的资产阶级并没有从根本上消灭阶级对立，阶级压迫依然存在，只不过是以一种新的私有制代替旧的私有制，以一种新的剥削形式代替一种旧的剥削形式。

---

①《马克思恩格斯选集》第1卷，北京：人民出版社，2012年，第426页。

保守的社会主义的改良方案因为不会触及资本主义私有制，不会消灭雇佣劳动，因而具有保守性质。马克思写道，保守的资产阶级拒绝无产阶级革命，“愿意要现代社会的生存条件，但是不要有这些条件必然产生的斗争和危险”，[①]“愿意要现存的社会，但是不要那些使这个社会革命化和解体的因素”[②]，其最后所要达到的目标是，“愿意要资产阶级，但是不要无产阶级”[③]。

（三）马克思、恩格斯对空想的社会主义流派的批判

首先，马克思、恩格斯揭示出空想社会主义的局限性，空想的社会主义从主观想象出发设计理想社会，要求现实与之相符。该流派寄希望于通过非暴力革命的方式走向社会主义，妄图通过组建新的社会科学，说服社会精英建设一个更好的社会。空想的社会主义没有看到工人阶级的伟大力量，没有看到暴力革命推动历史进步的重大价值，因而也不能把握人类历史发展的规律。

其次，马克思、恩格斯也看到了其历史进步意义。空想的社会主义或共产主义揭露了资本主义带来的严重后果，抓住私有制作为批判的矛头所指，理论具有一定的深刻性；同时，空想的社会主义和共产主义还反省了资本主义的道德，批判了资本主义社会的利己主义思潮；最后，空想社会主义对未来作了许多“天才式”的构想和试验，虽然这些构想和试验都宣告失败，但仍然可以作为人类走向共产主义社会的参考和镜鉴。

---

①《马克思恩格斯选集》第1卷，北京：人民出版社，2012年，第429页。

②《马克思恩格斯选集》第1卷，北京：人民出版社，2012年，第429页。

③《马克思恩格斯选集》第1卷，北京：人民出版社，2012年，第429页。

四、马克思、恩格斯批判各种社会主义流派蕴含的方法论

工欲善其事，必先利其器。面对各种社会主义流派盘根错节的复杂表象，马克思、恩格斯之所以能够条分缕析，认清其本质，原因在于熟练地掌握了科学的方法论。总结、分析这些方法论，有助于我们提高理性思维能力，培养自觉运用马克思主义理论的科学方法指导实践的能力。

（一）历史唯物主义的方法

首先，马克思、恩格斯从社会历史发展的一般规律出发，熟练运用生产关系与生产力的辩证统一关系，分析了各种社会主义流派，并论证了社会主义制度取代资本主义制度的历史必然性，虽然这一社会历史发展规律是客观的、不以人的意志为转移的，但却被各种社会主义流派无视甚至反对。对此，马克思、恩格斯旗帜鲜明地指出：反动的社会主义流派反对资本主义生产关系，主张恢复旧的所有制，这违背了历史发展规律；保守的社会主义流派主张的改良丝毫不会改变资本主义雇佣劳动关系，解决不了资本主义的根本矛盾，而解决这一根本矛盾的方法就是废除资本主义生产关系，只有这样才能推动生产力的发展。

其次，阶级分析法是马克思主义认识和分析阶级社会的基本方法之一。阶级是伴随剩余产品和私有制的出现而产生的，阶级的划分是以阶级在社会中所处的地位而决定的。《宣言》中对各种社会主义流派的批判之所以鞭辟入里、发人深省，正在于马克思、恩格斯熟练运用阶级分析法指出了各种社

会主义思潮所代表的阶级本质。例如,透过封建贵族的华丽言辞,分析其对工人阶级采取的暴力措施,揭露了封建贵族的虚伪性及其阶级立场;通过对保守资产阶级的社会改良方案的解析,指出其维护资产阶级的根本利益的初衷。

(二)辩证唯物主义的方法

辩证唯物主义揭示了事物发展的根本原因在于其内部矛盾。因此必须运用矛盾的观点观察、分析事物的内部矛盾。坚持"二点论"和"重点论"的统一,坚持矛盾的特殊性和普遍性的统一。

首先,马克思、恩格斯善于全面分析各种社会主义流派。矛盾分析法是马克思主义辩证唯物主义的根本方法,贯穿于马克思、恩格斯批判各种社会主义思潮的全过程。在解析各种社会主义流派时,马克思、恩格斯既鞭辟入里地分析了各种社会主义流派的局限性,又不失公正地揭示了其历史的合理性,充分展现了他们分析问题时坚持运用一分为二的矛盾分析法。

其次,马克思、恩格斯善于把握各种社会主义流派的性质。事物的性质由矛盾的主要方面所决定,因此要善于把握矛盾的主要方面,抓住主流,正确认清事物的性质。马克思、恩格斯能够把握各种社会主义流派的主要主张,揭示出其阶级局限性,为帮助工人阶级破除各种社会主义流派的迷惑性,认清它们的性质指明了方向。

最后,马克思、恩格斯善于精准地分析各种社会主义流派。矛盾具有特殊性,必须坚持具体问题具体分析。各种社会主义流派因为其历史背景、阶级立场的不同,提出不同的主张，具有不同的性质，必须具体地将其放在当时的历史背景和阶级背景之中加以考察。

小　结

按照马克思主义哲学的观点，发展是新事物的产生和旧事物的灭亡。在马克思、恩格斯生活的时代，共产主义运动是一种新鲜的事物，而新事物的发展不可能一帆风顺，必定伴随着惊涛骇浪、艰难曲折，其中，旧事物往往改头换面为新事物，迫害新事物的发展。马克思、恩格斯运用历史唯物主义和辨证唯物主义的方法，通过分析各种社会主义流派的立场和观点，揭示其阶级立场，让当时的工人阶级认清真正的敌人和真正的朋友。同样，中国特色社会主义道路也非一条坦途，总是面临各种挑战和挫折。其中包括敌对势力的怀疑、诋毁甚至打击。我们应当自觉学习马克思主义理论的阶级分析方法，一方面坚定信念，坚信作为新事物的共产主义社会符合社会发展规律，具有远大的光明前途，必将战胜作为旧事物的资本主义社会；另一方面，也需要提高警惕，了解各种代表落后阶级利益的社会思潮的阶级本质，捍卫社会主义道路。

知识链接

★ 欧文新和谐村 ★

1824年，在美国印第安纳州南部，曾出现过一个人间的理想"天国"，它叫"新和谐村"。新和谐村是由英国空想社会主义者欧文试验建立的劳动公社。公社内宣布财产公有，共同劳动，按劳分配。

全体成员在饮食、衣服、住所和教育方面一律平等。这是一次以欧文为代表的空想家们，对人人平等的理想社会的有益尝试。这种探索虽然最终宣告失败，却为马克思主义的产生起到重要的启发作用。

延伸阅读

（1）埃蒂耶纳·卡贝：《伊加利亚旅行记》（第2—3卷），北京：商务印书馆，1978年。

（2）靳辉明、周新城、顾海良、余文烈：《当代国外社会主义流派》，安徽：安徽人民出版社，2001年。

（3）习近平：《辩证唯物主义是中国共产党人的世界观和方法论》，《求是》2019年第1期。

深度思考

（1）在新的时代背景之下，国际共产主义运动发生了哪些新的变化？

（2）谈一谈小资产阶级的社会主义与保守的或资产阶级的社会主义之间的区别。

（3）谈一谈马克思、恩格斯批判各种社会主义流派对分析当代社会思潮的启发和借鉴意义。

Reading & Interpretation
大家写小书·马恩经典著作新读

第六章
对《宣言》第四章的解读

《宣言》前三章是理论部分，第四章则从理论转到现实。马克思、恩格斯阐明了共产党人对各种反对党派的态度，指出所有制问题是革命的基本问题，论述了共产党人政治斗争的基本策略，坚持不断革命论与革命发展阶段论相统一，强调用暴力革命夺取政权的重要性。

共产党能够团结其他工人政党，共同开展反对资本主义的斗争，是共产党人对待各种反对党派的基本态度。《宣言》首先指出："看过第二章，就可以了解共产党人同已经形成的工人政党的关系，因而也就可以了解他们同英国宪章派和北美土地革命派的关系。"①在《宣言》的第二章，马克思、恩格斯开篇就指出了共产党同已经形成的其他工人阶级政党的关系，共产党人同其他工人阶级政党成立的目的，都是为了维护无产阶级的利益，共产党人最近目的是"使无产阶级形成为阶级，推翻资产阶级的统治，由无产阶级夺取政权"②。共产党人坚持共产主义远大目标，了解社会发展的一般条件和进程，始终走在无产阶级革命运动的前列；共产党人能和其他工人政党联合起来，共同开展反对资产阶级的运动，在英国发生的宪章运动及在北美开展的土地革命运动中，共产党人就联合这些工人阶级政党共同开展反对资产阶级的革命运动。

①《马克思恩格斯选集》第1卷，北京：人民出版社，2012年，第433—434页。

②《马克思恩格斯选集》第1卷，北京：人民出版社，2012年，第413页。

知识链接

★ 北美土地革命运动 ★

北美土地革命运动，是“北美土地改革派”于19世纪40年代发起的土地革命运动，该政治团体主要由手工业者和工人组成，他们反对种植场奴隶主和土地投机分子，主张通过土地革命，实现每一个劳动者都占有一块土地的权利。另外，还提出了废除奴隶制、十小时工作制、取消常备军等民主要求。

一、坚持所有制问题是革命运动的基本问题

实现共产主义是共产主义运动的远大目标。《宣言》提到：“代替那存在着阶级和阶级对立的资产阶级旧社会的，将是这样一个联合体，在那里，每个人的自由发展是一切人的自由发展的条件”①，这是马克思、恩格斯对共产主义社会的美好憧憬与期待。按照马克思、恩格斯的设想，实现共产主义社会需要经历三个阶段：首先，成立无产阶级政党，使无产阶级上升为有统一组织、统一领导的阶级，在无产阶级政党的领导下，进行无产阶级的斗争与革命，推翻资产阶级暴政、夺取无产阶级政权，建立无产阶级专政；其次，利用政权的力量废除私有制，建立公有制，消灭剥削和压迫，改造社会，促进生产力的不断发展，为实现共产主义创造条件；最后，当生产力达到一定程度、一定高度，就可以过渡到共产主义社会。

所有制问题是共产主义运动的基本问题。按照马克思的解释，所有制的形成、发展及更替过程是同生产力的发展

①《马克思恩格斯选集》第1卷，北京：人民出版社，2012年，第422页。

相适应的，伴随着生产力的发展，原有的生产关系因不适应新的生产力的需要而不得不进行变革。从这个意义上讲，社会革命表现出来的虽然是一种政治变革行为，其实质仍是生产资料所有制的变革问题。恩格斯在《家庭、私有制和国家的起源》一文中讲道："迄今的一切革命，都是为了保护一种所有制而反对另一种所有制的革命。它们如果不侵犯另一种所有制，便不能保护这一种所有制……的确，一切所谓政治革命，从头一个起到末一个止，都是为了保护某种财产而实行的，都是通过没收（或者也叫做盗窃）另一种财产而进行的。"①

消灭私有制是共产主义运动的根本任务。在《宣言》中，马克思、恩格斯运用历史唯物主义的观点与方法，不仅论述了私有制的产生，还深刻揭示了私有制必然灭亡的本质。

马克思、恩格斯认为，未来将要建立的共产主义社会是完全消灭剥削、消灭压迫，实现人的自由而全面发展的理想社会，建立在机器大工业生产基础上的现代资产阶级私有制是"建立在阶级对立上面、建立在一些人对另一些人的剥削上面的产品生产和占有的最后而又最完备的表现"。②共产主义革命的目的不是用一种新的剥削制度代替旧的，而是消灭剥削。共产主义革命的根本任务是废除阶级剥削和阶级压迫的基础，即进行消灭私有制的斗争与革命。只有彻底消灭生产资料私有制，从而消灭资产阶级统治的阶级基础，才能从根本上消灭剥削制度，无产阶级才能实现彻底的解放和自由。从

①《马克思恩格斯选集》第4卷，北京：人民出版社，2012年，第129页。

②《马克思恩格斯选集》第1卷，北京：人民出版社，2012年，第414页。

这个意义上讲，共产党人可以把自己的奋斗目标概括为一句话：消灭私有制。

二、共产党人政治斗争的基本策略

共产党人要把“最近的目的”与“运动的未来”结合起来。马克思、恩格斯在《宣言》中指明了共产党人政治斗争策略的基本理论：“共产党人为工人阶级的最近的目的和利益而斗争，但是他们在当前的运动中同时代表运动的未来。”①共产党人的最终目标是消灭私有制，消灭剥削与压迫，实现以公有制为基本特征的共产主义社会。但是，共产主义社会的实现是以现实的革命运动为基础的，没有当前的革命，共产主义必然沦为空想。因此，共产党人要把“最近的目的”与“运动的未来”结合起来，根据各国实际情况，加入到有利于无产阶级斗争的运动中来，在不断革命中实现最终目标。

共产党人联合其他党派支持一切反对现存制度的革命运动。在共产党人看来，不管是新兴资产阶级开展反对封建地主阶级的革命运动，还是无产阶级反对资产阶级的革命运动，只要是符合社会历史发展潮流，推动社会历史进步的革命运动，共产党人都表示支持。如共产党人在法国联合社会主义民主党，在瑞士支持激进派，在波兰支持发动过克拉科夫起义的政党，在德国支持资产阶级的革命行动。以上国家、政党的主张和斗争属于资产阶级民族民主革命性质，但从整个社会形态发展来说，却是推动历史进步的积极行为，

① 《马克思恩格斯选集》第1卷，北京：人民出版社，2012年，第434页。

是可以为无产阶级的共产主义革命扫除障碍的。

共产党人在同其他党派联合的同时不忘对其进行批判与斗争。“共产党人到处都努力争取全世界民主政党之间的团结和协调”[①]。这既表明了共产党人对其他党派的态度，同时也声明了共产党人在革命斗争中采取的策略：在对敌人进行革命斗争时，必须团结一切可以团结的力量，利用一切可以利用的因素，广泛建立统一战线，不断壮大革命力量，不断打击和消灭敌人。但是这种团结和联合不是绝对意义上的联合，而是有批判性的斗争性的联合。在法国，共产党人与社会主义民主党联合，但对社会主义民主党中不切实际的空谈和幻想则保持批判态度；在瑞士，共产党人支持激进党，但注意到“激进派”的党组织中，既有代表资产阶级利益的激进分子，也有代表小资产阶级利益的民主社会主义者；在波兰，共产党人支持克拉科夫起义，正如马克思在《论波兰问题》中对克拉科夫起义的评价：“克拉科夫革命把民族问题和民主问题以及被压迫阶级的解放看作一回事，这就给整个欧洲作出了光辉的榜样[②]”。同时，马克思揭露和批判了一些反动势力将克拉科夫革命说成是共产主义的谬论，明确指出了资产阶级民主革命与共产主义革命的区别。

三、坚持不断革命论与革命发展阶段论相统一

无产阶级是资本主义社会的产物，它一产生，目的就是为了推翻资产阶级的统治，夺取无产阶级政权。它与资产阶级

①《马克思恩格斯选集》第1卷，北京：人民出版社，2012年，第435页。

②《马克思恩格斯全集》第4卷，北京：人民出版社，1958年，第537页。

的利益是根本对立的，因此必须坚持不断革命。由于各国的经济、社会发展状况不一致，各国要根据本国的实际，在策略上要选择革命发展阶段理论。

（一）强调无产阶级与资产阶级的根本对立，坚持不断革命论

资产阶级与无产阶级的根本利益是对立的。至今，人类社会的历史都是阶级斗争的历史，这是贯穿《宣言》始终的基本思想。生产力的发展带来私有制的产生，人类由此进入了阶级社会。在阶级社会中，剥削阶级与被剥削阶级始终是相互对立的，剥削阶级由于占有土地、机器等生产资料，在社会中始终处于主导和支配地位，而被剥削阶级由于缺乏生产资料，在社会中处于被支配地位，只能依靠出卖自己的劳动力维持基本的生活。两者在物质利益上的截然对立导致他们之间必然存在着斗争。

在现代资本主义社会，依旧存在着资产阶级和无产阶级的对立。随着资本主义经济的发展，旧有的封建等级制度逐步废除后，资本的时代使阶级对立日益简单，整个社会被划分为资产阶级和无产阶级两大直接对立的阶级，二者之间存在着不可调和的矛盾。

要获得无产阶级的解放，必须进行革命。在资本主义社会，无产阶级与资产阶级同时诞生，一起发展。无产阶级是出卖劳动力的被雇佣阶级。在资本主义制度下，无产阶级对资产阶级的反抗是长期存在的。无产阶级想要取得自身的解放，实现自由全面发展，必须进行反对资产阶级的革命运动。

要取得无产阶级的胜利，必须不断革命。正如《宣言》中

提到的："随着大工业的发展，资产阶级赖以生产和占有产品的基础本身也就从它的脚下被挖掉了。它首先生产的是它自身的掘墓人。"[①]资产阶级的最终灭亡和无产阶级的最终胜利，都将成为不以人的意志为转移的历史必然。无产阶级不断进行革命，终将获得最后的胜利。

（二）马克思和恩格斯的"革命发展阶段论"

在德国，无产阶级面临着两大历史任务。马克思、恩格斯指出："共产党人把自己的主要注意力集中在德国。"[②]19世纪的德国正在经历由封建社会向资本主义社会过渡的历史时期，无产阶级面临着两大阶级的剥削和压迫，其一是封建地主阶级，其二是资产阶级。无产阶级在进行革命斗争时，只有使整个社会摆脱阶级剥削和阶级压迫，才能获得彻底的自由和解放。因此，无产阶级的革命任务首先要推翻封建地主阶级，随之进行反对资产阶级的斗争。

共产党人与资产阶级联合进行民主革命，推翻封建制度。19世纪的德国，处于资产阶级民主革命的前夜，社会主要矛盾表现为资本主义先进的社会生产力同落后的封建制度之间的矛盾。无产阶级同17世纪的英国和18世纪的法国相比较，拥有更高的觉悟、更壮大的革命队伍。因此，只要资产阶级发动反对封建旧制度的资产阶级民主革命，共产党人就支持资产阶级，同资产阶级一起进行反对君主专制、封建土地所有制和小资产阶级的革命斗争。只有完成资产阶级民主革命，才能为无产阶级社会主义革命创造条件。恩格斯在《宣

---

①《马克思恩格斯选集》第1卷，北京：人民出版社，2012年，第412—413页。

②《马克思恩格斯选集》第1卷，北京：人民出版社，2012年，第435页。

言》1892年波兰文版序言中写道,"1848年革命在无产阶级的旗帜下使无产阶级战士归根到底只做了资产阶级的工作"[①]。

共产党人进行无产阶级革命,推翻资产阶级政权。马克思、恩格斯在强调政党联合的同时,并没有忘记共产党人的历史使命。他们指出:"共产党一分钟也不忽略教育工人尽可能明确地意识到资产阶级和无产阶级的敌对的对立。"[②]共产党人在同资产阶级进行资产阶级革命的同时,也要时刻教育工人,使他们明确地认识到资产阶级和无产阶级的根本对立,认识到只有推翻资产阶级的统治,才能获得无产阶级的解放。所以,当德国的共产党人联合资产阶级推翻封建制度后,共产党人随之会进行无产阶级革命,推翻资产阶级政治统治,建立无产阶级专政。

共产党人要"利用资产阶级统治所必然带来的社会的和政治的条件作为反对资产阶级的武器"[③]。因为从社会经济条件讲,确立资产阶级统治、资本主义工业的大生产,有利于无产阶级队伍的壮大和发展,为资产阶级革命提供阶级基础;从政治条件讲,资产阶级的统治有利于创造自由、民主的社会氛围,为资产阶级革命提供政治保证。

四、强调用暴力革命夺取政权的重要性

共产主义取代资本主义是历史发展的必然结果,但这种历史必然性不会自动完成,而是需要阶级斗争,尤其是作为

①《马克思恩格斯选集》第1卷,北京:人民出版社,2012年,第395页。

②《马克思恩格斯选集》第1卷,北京:人民出版社,2012年,第434页。

③《马克思恩格斯选集》第1卷,北京:人民出版社,2012年,第434页。

阶级斗争的最高表现形式——无产阶级革命——为其开辟道路。暴力革命，是指以暴力为手段的一种革命斗争形式，是马克思、恩格斯关于无产阶级革命学说的组成部分。马克思、恩格斯坚持用暴力革命夺取政权的依据主要有以下两点：

一是资本主义国家的剥削本质。马克思、恩格斯在《宣言》第一章中就指出："至今一切社会的历史都是阶级斗争的历史。"[①]伴随着私有财产和私有制的产生，人类社会由此进入了阶级社会。在奴隶社会中存在着奴隶主和奴隶这两大阶级的对立与斗争；在封建社会中存在着封建主与农民这两大阶级的对立与斗争；在资本主义社会中，资本主义的本质是剥削，资本主义国家始终是维护资产阶级利益的工具。无产阶级为了获得自身的解放，必须不断进行革命，所以在《宣言》的最后，马克思、恩格斯强调："共产党人不屑于隐瞒自己的观点和意图。他们公开宣布：他们的目的只有用暴力推翻全部现存的社会制度才能达到。让统治阶级在共产主义革命面前发抖吧。无产者在这个革命中失去的只是锁链。他们获得的将是整个世界。"[②]马克思充分肯定暴力革命的重要性，认为暴力革命是无产阶级获得解放的必要途径，只有通过暴力革命，才能推翻资产阶级的统治，夺取无产阶级政权，实现无产阶级专政。

二是无产阶级的革命斗争经验。第一，暴力革命是无产阶级获得解放的基本革命斗争形式。在《宣言》发表以前，马

---

①《马克思恩格斯选集》第1卷，北京：人民出版社，2012年，第400页。

②《马克思恩格斯选集》第1卷，北京：人民出版社，2012年，第435页。

克思、恩格斯通过分析法国里昂、德国西里西亚等已经发生的工人运动的失败经验与教训，意识到用暴力革命夺取政权的重要性，而采用合法途径来进行革命是不可能的，只有通过暴力来变革现有的关系，才能改善无产阶级的状况。马克思在《1848年至1850年的法兰西阶级斗争》中，总结“六月起义”的经验时指出：“它要在资产阶级共和国范围内稍微改善一下自己的处境只是一种空想，这种空想只要企图加以实现，就会成为罪行。”[①]第二，革命暴力是对统治阶级反动暴力的有效回应。资产阶级为了维护自己的阶级统治，使用国家机器对被统治者进行暴力镇压，这是马克思、恩格斯暴力革命思想产生的根源。1871年法国巴黎公社起义，“公社被镇压后，无数社员遭屠杀。凡尔赛方面承认他们杀了1.7万人，但这个数字连实际被害的半数都不到。4.3万人被俘，1万人被判刑”[②]。马克思在《法兰西内战》中总结巴黎公社的失败时指出：“工人阶级不能简单地掌握现成的国家机器，并运用它来达到自己的目的。”[③]

《宣言》最后发出这样的号召：“全世界无产者，联合起来！”[④]无产阶级要想获得自身的解放和自由，就必须通过无产者的联盟成为阶级，而且无产阶级的联合不仅仅是一个国家一个民族的事情，而是全世界无产阶级的共同联合。只有全世界的无产阶级共同发动推翻资产阶级政治统治的革命斗争

①《马克思恩格斯选集》第1卷，北京：人民出版社，2012年，第469页。

② 艾瑞克·霍布斯鲍姆：《资本的年代：1848—1875》，张晓华等译，北京：中信出版社，2017年，第194—195页。

③《马克思恩格斯选集》第3卷，北京：人民出版社，2012年，第95页。

④《马克思恩格斯选集》第1卷，北京：人民出版社，2012年，第435页。

运动，建立无产阶级专政，才能获得自身的解放，实现人的自由全面发展。

小　结

第四章是篇幅最短的一章，阐述了共产党人对待其他党派的态度、原则与策略，是马克思、恩格斯的科学社会主义文献中直接谈论政治联盟的重要篇章。《宣言》在所有制问题上是坚定不移的，指出生产资料公有制是共产主义社会区别于其他社会的本质特征；共产党人为工人阶级的最近的目的和利益而斗争，他们在当前的运动中代表运动的未来。

无疑，《宣言》是指引我们胜利前进的旗帜，新时代，我们仍要以《宣言》为思想武器，不断汲取精神力量，坚定共产主义信仰，深刻认识中国特色社会主义是对科学社会主义的继承和发展，牢记初心与使命，坚定走中国特色社会主义道路的信心和决心。

延伸阅读

（1）恩格斯：《家庭、私有制和国家的起源》，北京：人民出版社，2019年。

（2）本刊记者：《科学理解马克思主义所有制理论——访中国人民大学周新城教授》，《马克思主义研究》2018年第4期。

（3）王中汝：《暴力的作用及其限度》，《理论视野》2019年第1期。

深度思考

（1）如何理解“当前的运动”和“运动的未来”的内涵及关系？

（2）如何理解“所有制问题是革命运动的基本问题”？

（3）“无产者在这个革命中失去的只是锁链”，这个“锁链”指的是什么，谈谈你的理解。

Reading & Interpretation

大家写小书·马恩经典著作新读

第七章

《宣言》的理论意义和历史意义

《宣言》一经问世，便在世界各国工人阶级当中广泛传播开来，不仅促进了世界社会主义运动的蓬勃发展，同时也改变了人类社会历史的发展进程。170年来，《宣言》被翻译成200多种文字，出版数千个版本，始终是社会政治和人文社会科学领域中传播最广的一部著作。列宁曾评价说，这本书“以天才的透彻而鲜明的语言描述了新的世界观”①。

《宣言》作为科学社会主义诞生的标志，其彰显的理论意义和历史意义就在于它不仅为各国无产阶级革命提供了强大的思想武器，也为世界社会主义运动指明了前进的方向，更为无产阶级政党建设奠定了科学的理论基础。习近平总书记指出：“《共产党宣言》是一个内容丰富的理论宝库，值得我们反复学习、深入研究，不断从中汲取思想营养。”②只有深入研究《宣言》，把握《宣言》的理论意义和历史意义，才能从中汲取科学智慧和理论力量，才能推动整个人类社会的发展和进步。

一、深刻阐述科学社会主义基本原理，为无产阶级革命提供了强大的思想武器

掌握科学的理论体系是无产阶级实现自身解放的重要武器。马克思认为，缺乏科学理论指导的工人阶级在反对资产阶级的革命运动中，只能进行自发的、分散的、局部的经济斗争，不能真正撼动资本主义的腐朽大厦。工人阶级只有在拥

---

①《列宁全集》第26卷，北京：人民出版社，2017年，第50页。

② 习近平：《中国共产党是〈共产党宣言〉精神忠实传人》，《人民日报海外版》2018年4月25日第1版。

有物质力量的基础上，具备一定的理论力量、精神力量，才能取得革命的最终胜利。因此，马克思指出："批判的武器当然不能代替武器的批判，物质力量只能用物质力量来摧毁；但是理论一经掌握群众，也会变成物质力量。"[1]工人阶级只有掌握先进的理论武器，并把先进的理论运用到无产阶级革命实践中去，才能彻底解放自己、解放全人类。

《宣言》阐述了科学社会主义原理。《宣言》运用了历史唯物主义的基本理论上，第一次深刻阐述了科学社会主义原理，通过对当时形形色色的社会主义流派进行严肃、无情的批判，鲜明地树立起了科学社会主义的理论旗帜，标志着科学社会主义理论的诞生。马克思、恩格斯在阐述科学社会主义原理时，摒弃了空想社会主义诉诸道德情感的空洞说教，深刻论证了人类社会由资本主义走向共产主义的历史必然性，阐述了实现共产主义社会的实践途径及其依靠力量，明确了无产阶级政党的先进品质、政治立场、崇高理想，预示了共产主义社会的美好愿景。同时，《宣言》提出了科学社会主义的一系列原则，包括：无产阶级是最富有革命性、最彻底、最团结、最有组织性和纪律性的阶级，是先进生产力的代表；共产党人始终代表整个无产阶级的利益；共产主义的特征是废除资产阶级所有制；共产党人的历史使命是推翻资产阶级旧世界，建立共产主义新世界，实现人的自由全面发展等。可以看出，《宣言》阐述的科学社会主义原理犹如一盏明灯，为无产阶级实现自由解放指明了一条现实道路。

---

①《马克思恩格斯选集》第1卷，北京：人民出版社，2012年，第9页。

宣言为无产阶级革命提供了强大的思想武器。科学社会主义原理是科学的世界观、方法论。《宣言》阐述的科学社会主义原理不仅体现了其理论上的科学性和革命性，同时也体现了其为人民大众谋利益、为全人类谋解放的政治立场，它为无产阶级进行革命斗争提供了强大的思想武器和行动指南。自《宣言》发表以来，无产阶级有了科学社会主义理论的指导，能够在革命斗争中将理论力量转化为物质力量，能够在革命斗争中由原来自在的阶级转变为自为的阶级，与资产阶级的斗争也由原来自发的经济斗争转变为自觉的政治斗争。

习近平总书记指出："《共产党宣言》是第一次全面阐述科学社会主义原理的伟大著作，'向全世界公开说明自己的观点、自己的目的、自己的意图"'，矗立起一座马克思主义精神丰碑。"[①]首先，《宣言》阐述了马克思主义的科学世界观——唯物史观，为人类认识自然、认识人类社会提供了科学的思想武器；其次，《宣言》论证了资本主义必然灭亡，社会主义必然胜利的人类社会发展规律，为共产党人坚定共产主义信念提供了理论依据；再次，《宣言》阐述了无产阶级革命理论，为无产阶级实现共产主义社会指明了实践路径；此外，《宣言》还就无产阶级政党问题、国家问题、民族复兴问题、人的自由全面发展问题进行了具体阐述，体现了马克思主义理论的科学性和革命性，促使其成为指引无产阶级进行革命斗争的思想武器和行动指南。

① 习近平：《学习马克思主义基本理论是共产党人的必修课》，《求是》2019年第22期。

知识链接

★ 自在阶级与自为阶级 ★

自在阶级和自为阶级是表明无产阶级在政治成熟性、思想觉悟性和组织严密性等方面由自发到自觉两个发展阶段的概念。作为自在阶级，无产阶级对资本主义社会的认识还处在感性阶段，没有认识到自己受剥削、受压迫的真正原因（如归罪于机器），没有觉悟到资本家和工人队伍之间的整个阶级对立，不了解自己的阶级地位和历史使命。斗争是分散的、自发的，仅限于经济要求。作为自为阶级，无产阶级对资本主义社会的认识上升到理性阶段，认识到工人受苦的根源是资本主义剥削制度，是整个资产阶级利用国家机器压迫整个无产阶级的结果；无产阶级是资本主义的掘墓人，肩负着消灭一切剥削阶级，解放全人类的历史使命；无产阶级要获得解放，必须团结起来，进行有意识、有组织的经济斗争、思想斗争和政治斗争。

二、科学揭示人类社会发展的一般规律，为世界社会主义运动指明了正确的前进方向

《宣言》揭示了人类社会发展的一般规律。《宣言》运用历史唯物主义的基本理论，通过分析资本主义社会的内在矛盾，进一步揭示了人类社会发展的一般规律，即“资本主义必然灭亡和共产主义必然胜利”[①]。《宣言》认为，人类社会的基本矛盾是生产力与生产关系之间的矛盾。正是生产力与生产关系之间的矛盾运动，促使封建社会代替了奴隶社会，资本主义社会

①《马克思恩格斯选集》第1卷，北京：人民出版社，2012年，第6页。

代替了封建社会。然而，现在这对矛盾又开始直接威胁到资本主义社会的生存与发展了。由于资本主义生产力的快速发展，资产阶级为了追逐更多的利益，开始不断扩大生产，但是资本主义生产关系使得财富掌握在少数人的手里。随着生产的无限扩大，资本主义生产关系的弊端便日益显露出来。工人阶级由于占有极少的财富，难以消费市场上的众多商品，最终导致生产过剩，于是资本主义社会不可避免地爆发周期性的经济危机。由此，马克思、恩格斯得出了“资产阶级的关系已经太狭窄了，再容纳不了它本身所造成的财富了”[1]，“资产阶级用来推翻封建制度的武器，却对准资产阶级自己了”[2]这一科学结论，继而指出：代表先进生产力方向的无产阶级一定会联合成为阶级，反对资产阶级的剥削统治，建立无产阶级的新政权，实现共产主义。

《宣言》为世界社会主义运动指明了前进方向。《宣言》自问世以后便在世界社会主义运动中广为传播，不仅深刻影响了19世纪40年代欧洲工人运动的发展形势，同时也推动了世界社会主义运动的蓬勃发展。尤其是《宣言》揭示的人类社会发展规律，科学论证了社会主义代替资本主义的历史必然性，更是为世界社会主义运动指明了光明愿景和正确方向。

在《宣言》的指导下，俄国十月革命爆发，这是人类历史上的一个划时代的事件，不仅诞生了世界上第一个社会主义国家——苏联，开启了人类历史的新纪元，同时也打破了资本主义社会一统天下的世界格局。在十月革命的影响下，世界社

①《马克思恩格斯选集》第1卷，北京：人民出版社，2012年，第406页。
②《马克思恩格斯选集》第1卷，北京：人民出版社，2012年，第406页。

会主义运动如火如荼地进行着，其中也包括中国。随着《宣言》传到中国，中国的先进知识分子受此影响后，成为一批又一批的马克思主义者，并且开始奋力投入到救亡图存的革命实践中。

1921年，中国的马克思主义者成立了中国共产党，并把实现共产主义作为自己的奋斗目标，团结带领全国各族人民进行了艰苦卓绝的斗争，克服了一个又一个的艰难险阻，成功实现了国家独立和民族解放，建立了中华人民共和国，实现了从几千年封建专制政治向人民民主的伟大飞跃。中国人民从此站起来了，并在中国特色社会主义道路上取得了显著成就。

三、鲜明提出马克思主义政党的纲领性文献，为无产阶级政党建设奠定了科学的理论指导

作为国际共产主义运动的第一个纲领性文献，《宣言》既是为共产主义者同盟起草的政治纲领，也是为马克思主义政党制定的理论纲领。《宣言》通过论述马克思主义政党的性质、特征和崇高理想，不仅为无产阶级政党保持先进性和纯洁性提供了理论支撑，同时也为无产阶级政党建设奠定了科学的理论基础。

《宣言》为第一个无产阶级政党提供了纲领性文献。时代呼唤科学理论，《宣言》是应共产主义者同盟的现实需要而生。共产主义者同盟是第一个在科学社会主义理论指导下建立的无产阶级政党，其前身正义者同盟，由于缺乏正确理论的指导，在同资产阶级的斗争中屡次受挫。之后，同盟领导人认识到马克思和恩格斯理论的科学性，希望他们建立一个科学

的理论体系来指导同盟的发展。马克思、恩格斯同意后便着手撰写同盟纲领。马克思、恩格斯认为，无产阶级政党只有拥有一套科学完整的理论体系，才能取得革命的最终胜利，实现彻底的解放。

《宣言》阐述了无产阶级政党的性质、特征和崇高理想。《宣言》指出，“共产党人不是同其他工人政党相对立的特殊政党。他们没有任何同整个无产阶级的利益不同的利益”[①]。他们始终代表整个无产阶级的利益，始终是为绝大多数人谋利益的先进政党。同时，《宣言》强调，无产阶级政党是由先进知识分子组成，他们拥有自己的科学社会主义理论，并且有能力把科学理论运用到无产阶级革命实践中去。因此，他们是推动无产阶级革命事业发展的重要力量。最后，《宣言》指出，无产阶级政党的奋斗目标就是消灭资本主义私有制，建立社会主义私有制，实现人的自由全面发展。最终“无产者在这个革命中失去的只是锁链。他们获得的将是整个世界”[②]。

《宣言》为无产阶级政党建设提供了理论指导。首先，《宣言》阐述的无产阶级政党性质，要求无产阶级政党要有鲜明的政治立场，要始终代表广大无产阶级和劳动人民的根本利益，要重视人民群众的主体作用，始终与人民群众保持紧密联系。其次，《宣言》阐述的无产阶级政党特征，要求无产阶级政党要有严格的政治要求，要始终坚持科学社会主义原理，坚持社会主义道路，要始终保持政治先进性、政治引领性，做到无论是在理论上还是在实践上都是推动社会发展的重要力量。

---

①《马克思恩格斯选集》第1卷，北京：人民出版社，2012年，第413页。

②《马克思恩格斯选集》第1卷，北京：人民出版社，2012年，第435页。

最后,《宣言》阐述的无产阶级政党的崇高理想,要求无产阶级政党要有明确的政治目标,即要建立一个没有剥削和压迫的共产主义新社会。那种把共产主义社会看成是一种空想的观点是不可取的,无产阶级政党务必要坚定共产主义理想信念,并且要为实现共产主义不懈奋斗。

知识链接

★ 国际共产主义运动 ★

国际共产主义运动,简称“国际共运”,是指在世界各国开展的共产主义运动,其目的是推翻剥削阶级的统治,建立起人人平等的社会主义制度,进而实现共产主义。以1847年6月2日世界上第一个共产主义政党——共产主义者同盟的建立为开端,国际共产主义运动迄今已经历了一个半多世纪。随着科学社会主义理论的广泛传播,国际共产主义运动在世界各国迅猛展开。20世纪的国际共产主义运动史,既见证了社会主义从理论到制度、从一国到多国的辉煌,也遭遇到东欧剧变、苏联解体的曲折。

在中国,中国共产党始终坚持和加强党的建设,把党的建设作为一项伟大工程来推进;始终坚持和加强政权建设,尤其是在中华人民共和国成立后,中国共产党作为执政党团结带领人民成功开辟了中国特色社会主义政治发展道路,为实现最广泛、最真实、最管用的人民民主指明了正确方向;始终坚持社会主义革命和建设,不断推进改革开放和中国特色社会主义事业,为国际共产主义运动复兴贡献了中国实践。

延伸阅读

（1）习近平：《在纪念马克思诞辰200周年大会上的讲话》，北京：人民出版社，2018年。

（2）《列宁全集》第26卷，北京：人民出版社，2017年。

（3）特里·伊格尔顿：《马克思为什么是对的》，李杨、任文科、郑义译，北京：新星出版社，2011年。

深度思考

（1）谈谈《宣言》的基本原理至今仍是正确的，而对它的运用为什么又要随时随地以当时的历史条件为转移？

（2）联系实际阐述如何认识“两个必然”的结论。

（3）分析《宣言》对于统筹推进“五位一体”总体布局、协调推进“四个全面”战略布局的现实指导意义。

Reading & Interpretation
大家写小书·马恩经典著作新读

第八章
《宣言》对于新时代的现实意义

习近平总书记在十九届中央政治局第五次集体学习时深刻指出："《共产党宣言》虽然诞生于170年前，但其阐述的基本原理没有过时，也不会过时"，"事实证明，《共产党宣言》的真理力量是永恒的，已经并将继续深刻影响世界历史进程。"①站在新时代的历史起点上，学习《宣言》中所阐述的无产阶级政党理论、科学社会主义原理以及对世界历史发展总趋势的判断，对于促进新时代中国特色社会主义实践的发展，推动党的建设新的伟大工程，以及人类命运共同体的构建、21世纪马克思主义的新境界的开辟，具有重要的现实意义。

一、深刻理解无产阶级政党理论，推进党的建设伟大工程

《宣言》作为无产阶级政党历史上第一个政治性纲领，在明确了无产阶级的性质和特点的基础上，进一步深刻系统地阐述了无产阶级政党的基本纲领、策略原则和历史使命等内容。其中关于无产阶级政党的领导，无产阶级政党的历史使命，无产阶级政党的先进性和纯洁性等内容的论述，对于新时代推进党的建设伟大工程，提高中国共产党的长期执政能力，巩固中国共产党的执政地位具有重要意义。

一是牢记无产阶级政党的历史使命，坚定中国共产党人的初心和使命。马克思、恩格斯通过对资本主义社会各个阶级的科学分析，指出了只有无产阶级才能承担起埋葬资本主义制度和建设共产主义社会的伟大历史使命。中国共产党继承和发展了《宣言》中所蕴含的无产阶级政党的"初心"和历史

① 习近平：《学习马克思主义基本理论是共产党人的必修课》，《求是》2019年第22期。

使命，正如习近平总书记明确指出的："中国共产党人的初心和使命，就是为中国人民谋幸福，为中华民族谋复兴。"[①]其中"为中国人民谋幸福"是对《宣言》中"为绝大多数人谋利益"思想的继承和发展。党的十八大以来，中国共产党始终把人民放在最高的位置，把民心作为最大政治，为增进人民福祉，满足人民群众对美好生活的向往而努力，充分体现了为大多数人谋利益的初心。"为中华民族谋复兴"是中国共产党在新时代对《宣言》中所阐述的无产阶级的最近目的和长远奋斗目标的进一步坚持。马克思和恩格斯在《宣言》中明确了共产党人的最近目的是通过暴力革命推翻资产阶级的国家机器和国家统治，使无产阶级夺取并掌握国家政权，建立新的国家机器，"并利用自己的政治统治，尽可能快地增加生产力的总量"[②]。共产党人的长远目标和面向未来的远大理想是要消灭私有制，"实现共产主义，并把实现人的自由而全面的发展作为共产主义的本质"[③]。中国共产党以此作为自己的奋斗目标，带领中国人民一步步从站起来、富起来走向强起来的伟大征程，最终实现中华民族伟大复兴的中国梦。党的十九大明确提出了从2020年到21世纪中叶分两步走全面建成社会主义现代化强国的新目标，彰显了中国共产党对无产阶级历史使命和奋斗目标的进一步坚持和推进。

二是坚持"无产阶级的统治"，加强和完善中国共产党的

① 习近平：《决胜全面建成小康社会 夺取新时代中国特色社会主义伟大胜利——在中国共产党第十九次全国代表大会上的报告》，《人民日报》2017年10月28日。

② 习近平：《学习马克思主义基本理论是共产党人的必修课》，《求是》2019年第22期。

③ 习近平：《学习马克思主义基本理论是共产党人的必修课》，《求是》2019年第22期。

领导。《宣言》指出，“工人革命的第一步就是使无产阶级上升为统治阶级，争得民主”[①]，“无产阶级将利用自己的统治，一步一步地夺取资产阶级的全部资本，把一切生产工具集中在国家即组织成为统治阶级的无产阶级手里”[②]。

在中国特色社会主义进入新时代的背景下，我们坚持无产阶级的统治，就意味着要不断加强中国共产党的领导，从而为中国特色社会主义伟大事业的推进提供坚实的政治保证。习近平总书记指出，“中国特色社会主义最本质的特征是中国共产党领导，中国特色社会主义制度的最大优势是中国共产党领导”，“必须毫不动摇坚持和完善党的领导，毫不动摇把党建设得更加坚强有力”[③]。中国共产党要不断增强自身的政治领导力、思想引领力、群众组织力、社会号召力，党的组织和成员必须牢固树立“四个意识”，坚持“四个自信”，坚决做到“两个维护”，在新时代的时空境遇中不断丰富和发展《宣言》所提出的坚持和加强无产阶级政党领导的思想。

三是把握无产阶级政党的性质和特点，不断加强中国共产党的先进性和纯洁性建设。《宣言》公开声明，共产党人“没有任何同整个无产阶级的利益不同的利益。他们不提出任何特殊的原则，用以塑造无产阶级的运动”[④]。充分表明了无产阶级政党全心全意为争取最广大人民群众的利益而不断斗争这一初衷的纯洁性。与此同时，“在实践方面，共产党人是各

①《马克思恩格斯选集》第1卷，北京：人民出版社，2012年，第421页。

②《马克思恩格斯选集》第1卷，北京：人民出版社，2012年，第421页。

③ 习近平：《决胜全面建成小康社会 夺取新时代中国特色社会主义伟大胜利——在中国共产党第十九次全国代表大会上的报告》，《人民日报》2017年10月28日。

④《马克思恩格斯选集》第1卷，北京：人民出版社，2012年，第413页。

国工人政党中最坚决的、始终起推动作用的部分；在理论方面，他们胜过其余无产阶级群众的地方在于他们了解无产阶级运动的条件、进程和一般结果”[①]。彰显了无产阶级政党不论在理论还是实践方面都是最先进的。党的十八大以来，习近平总书记带领全党和全国人民深入推进党的反腐败斗争，净化党内政治生态，坚决纠正各种不良作风，坚持了《宣言》中无产阶级政党纯洁性的初衷，同时也为无产阶级的先进性融入了新时代内涵。从《宣言》中追寻无产阶级政党保持先进性和纯洁性的理论及实践源头，为增强新时代党的自我净化、自我完善、自我革新和自我提高能力提供了有力支撑，有利于全面提高党的建设质量，奠定中国共产党坚实的执政根基。

二、坚持科学社会主义基本原则，推进中国特色社会主义的新发展

《宣言》运用历史唯物主义的立场、观点、方法，充分论证了资本主义必然灭亡、共产主义必然胜利这一科学社会主义理论的总结论；通过历史考察，深刻揭示了阶级斗争理论；通过对资本主义社会的研究，深刻诠释了无产阶级革命的必然性与可行性，并制定了无产阶级政党的建党纲领以及无产阶级革命的策略、路线和目标；最终明确了科学社会主义的价值追求——人的自由而全面的发展，这是对科学社会主义的基本原则所做的全面而系统的阐述，对当时世界各国社会主义运动的蓬勃发展提供了强有力的理论武器。习近平总书记指

① 《马克思恩格斯选集》第1卷，北京：人民出版社，2012年，第413页。

出："中国特色社会主义是社会主义而不是其他什么主义，科学社会主义基本原则不能丢，丢了就不是社会主义。"[①]面向21世纪新的时代背景和社会发展状况，我们要紧密结合中国特色社会主义经济、政治、文化、社会、生态文明发展的新变化，在坚持基本原则的基础上不断赋予科学社会主义鲜明的中国理论特色、中国实践特色和中国制度特色，增加其时代意蕴。

一是赋予科学社会主义鲜明的中国理论特色。"中国特色社会主义，是科学社会主义理论逻辑和中国社会发展历史逻辑的辩证统一"[②]。习近平新时代中国特色社会主义思想，蕴含着具有原创性的新思想、新观点、新论断，在理论层面赋予了科学社会主义新的时代内涵。中国特色社会主义新时代"是一个需要理论而且一定能够产生理论的时代"，"是一个需要思想而且一定能够产生思想的时代"[③]。我们必须以新时代中国特色社会主义伟大实践为根基，遵循科学社会主义基本原则，不断深化对"三大规律"的认识，提炼和总结出具有原创性的新理论、新观点和新思想，推进21世纪中国特色社会主义理论体系的丰富和完善。

二是赋予科学社会主义扎实的中国实践根基。中国特色社会主义伟大实践是支撑中华民族从站起来、富起来迈向强起来伟大征程的坚实根基。中国共产党在近百年的发展、奋斗历程中，将马克思主义的基本原理灵活运用于中国的革命、

---

① 习近平：《关于坚持和发展中国特色社会主义的几个问题》，《求是》2019年第7期。

② 习近平：《毫不动摇坚持和发展中国特色社会主义 在实践中不断有所发现有所创造有所前进》，《人民日报》2013年1月6日。

③ 习近平：《在哲学社会科学工作座谈会上的讲话》，北京：人民出版社，2016年，第8页。

建设和改革实践，创造性地开辟了独具特色并且符合国情和发展实际的“中国道路”。但是中国道路和中国实践不是定于一尊，一成不变的，新的时代主题的产生和社会条件的变化——中国特色社会主义进入新时代“意味着科学社会主义在二十一世纪的中国焕发出强大生机活力，在世界上高高举起了中国特色社会主义伟大旗帜”①。我们应将《宣言》所蕴含的科学社会主义基本原则，与新时代的“四个伟大”建设实践紧密结合，将科学社会主义基本原则灵活运用到中国的顶层设计和基层实践，在理论与实践有机统一中推动新时代中国特色社会主义事业不断发展前进。

三是赋予科学社会主义牢固的中国制度支撑。《宣言》明确了无产阶级的运动要废除资本主义私有制，代之以生产资料公有制，并在此基础上实行按劳分配，这是科学社会主义的重要原则。我们党以此为理论和实践依据，结合中国发展实际确定了坚持和完善中国特色社会主义制度在各方面必须坚持的根本制度、基本制度、重要制度。在新时代的条件下，我们必须创造性地将科学社会主义的基本原则与新时代的中国实践特征相结合，健全国家治理体系，提高国家治理能力，推进国家治理体系和治理能力现代化，促进我国各项制度更加科学完善，收入分配制度更加合理有序。在着力解决社会主要矛盾中，充分彰显中国特色社会主义制度的稳固性、可靠性和优越性。

---

① 习近平：《决胜全面建成小康社会 夺取新时代中国特色社会主义伟大胜利——在中国共产党第十九次全国代表大会上的报告》，《人民日报》2017年10月28日。

三、把握世界历史理论，推动构建人类命运共同体

世界历史理论是马克思主义历史观的重要内容，《宣言》中马克思、恩格斯对世界历史的形成和发展过程，无产阶级在特定历史情境下的革命策略，以及世界历史的未来发展指向，均作了清晰的论述。在中国特色社会主义进入新时代的今天，我们仍然生活在马克思所阐明的“世界历史”时代，《宣言》中关于世界历史的论述为习近平总书记所提出的“人类命运共同体”理念提供了历史前提、方法基础和理想愿景。

一是把握世界历史的形成和发展，深刻理解构建人类命运共同体的历史前提。《宣言》中马克思、恩格斯揭示了世界历史形成的原因。一方面地理大发现促进了世界历史的形成，“美洲的发现、绕过非洲的航行，给新兴资产阶级开辟了新天地”[①]。另一方面，大工业的发展为世界历史的形成提供了动力，“大工业建立了由美洲的发现所准备好的世界市场”[②]，“使一切国家的生产和消费都成为世界性的了”[③]，从而开启了世界历史的进程。各民族、国家和地区之间原始的封闭状态不断被消灭和打破，取而代之的是普遍的交往和相互依赖，这使单个民族历史的发展也具有了世界历史的意义。在经济全球化深入发展的今天，人类交往更加深入广泛，世界各国之间的联系也更加紧密和频繁，人类交往和联系的世界历史意义更加凸显，这就为人类命运共同体理念提供了历史前提。

---

①《马克思恩格斯选集》第1卷，北京：人民出版社，2012年，第401页。

②《马克思恩格斯选集》第1卷，北京：人民出版社，2012年，第401页。

③《马克思恩格斯选集》第1卷，北京：人民出版社，2012年，第404页。

二是把握《宣言》中“联合”的思想，深刻理解构建人类命运共同体的方法基础。随着贸易自由的实现，各国人民之间的民族隔绝和对立也日益消失，这就为无产阶级的国际联合创造了条件。马克思和恩格斯在《宣言》中强调，“联合的行动，至少是各文明国家的联合的行动，是无产阶级获得解放的首要条件之一”[①]，并发出了“全世界无产者，联合起来”[②]的号召。当今人类社会正处于一个风险和挑战日益增多的时代，诸多全球性问题成为整个人类社会共同面临的挑战，独自应对挑战或者退回到自我封闭的孤岛都将是逆时代潮流的错误选择。《宣言》中“联合”的思想启示我们摒弃冷战和霸权思维，坚持合作共赢的理念，推动经济全球化向符合人类整体利益的方向发展。各国人民必须勠力同心、同向同行，共同为建设人类社会的美好未来而努力。

三是把握“自由人的联合体”思想，深刻理解构建人类命运共同体的愿景基础。马克思和恩格斯在《宣言》中指出：“代替那存在着阶级和阶级对立的资产阶级旧社会的，将是这样一个联合体，在那里，每个人的自由发展是一切人的自由发展的条件。”[③]马克思、恩格斯对未来社会发展的论断是站在“人类命运”整体性的高度上，思考人类社会未来发展的理想愿景，基于无产阶级代替资产阶级的历史必然性，提出了阶级斗争的最终目标和指向是“自由人的联合体”的论断。21世纪的今天，习近平总书记站在世界历史的高度，审视当今世界发展

①《马克思恩格斯选集》第1卷，北京：人民出版社，2012年，第419页。
②《马克思恩格斯选集》第1卷，北京：人民出版社，2012年，第435页。
③《马克思恩格斯选集》第1卷，北京：人民出版社，2012年，第422页。

趋势和面临的重大问题，提出构建人类命运共同体的理念，为实现“自由人的联合体”摹画了美好的愿景。面向人类社会发展的未来，我们应坚持互利共赢的开放战略和国际交往原则，坚持走和平发展道路，同各国人民共同努力，为实现未来人类社会的理想愿景而奋斗。

知识链接

★ 自由人的联合体 ★

马克思在《资本论》中对什么是“自由人的联合体”作出了具体、明确的阐述：这应当是一个“以每一个个人的全面而自由的发展为基本原则的社会形式”。在这样新的文明社会中，“社会化的人，联合起来的生产者，将合理地调节他们和自然之间的物质变换，将它置于他们的共同控制之下，而不让它作为盲目的力量来统治自己；靠消耗最小的力量，在最无愧于和最适合他们的人类本性的条件下来进行这种物质变换”。每个人不是把其他人看作自己自由的限制，而是看作自己自由的实现。人与人自发形成的对立的生产关系和交往关系，转变为自觉形成的联合起来的关系。

四、坚持马克思主义的先进理论品格，开辟21世纪马克思主义发展的新境界

中国特色社会主义进入新时代的今天，世界已经发生了巨大而深刻的变化，但《宣言》所蕴含的辩证唯物主义和历史唯物主义的基本原理和思想方法依然闪烁着真理的光芒，正如《宣言》中所说的，“这些原理的实际运用”“随时随地都要以

当时的历史条件为转移”[1]。中国共产党深刻扎根于中国实践，站在最广大人民群众的立场上，坚持马克思主义与时俱进的理论品格，在理论和实践相统一的基础上不断推动中国特色社会主义理论创新，充分彰显了马克思主义在21世纪所散发的真理光辉。

一是要立足中国实践发展21世纪马克思主义。《宣言》是立足19世纪40年代资本主义的发展和工人阶级运动的状况所形成的科学理论，标志着马克思主义的诞生。马克思主义在21世纪中国的发展，同样应该包括研究新时代中国经济、制度、文化、社会和生态文明发展实践的理论。中国现代化进程中的不平衡不充分发展矛盾、社会转型、生态破坏、环境污染、意识形态斗争、体制机制障碍等重大现实问题一定程度上反映了21世纪人类社会发展面临的难题。同时，中国特色社会主义精准扶贫、乡村振兴、反腐倡廉、协商民主、国家治理、改革开放、意识形态建设等成果为21世纪马克思主义的发展提供了实践基础和经验参照。“中国特色”和“中国化”中蕴含着21世纪马克思主义发展的一般规律。因此，要以马克思主义中国化发展的新实践、新问题、新情况，作为推动21世纪马克思主义发展创新的基础和参照。

二是要站在人民的立场上发展21世纪马克思主义。《宣言》明确了“在无产阶级和资产阶级的斗争所经历的各个发展阶段上，共产党人始终代表整个运动的利益”[2]。无产阶级运动将广大人民群众作为出发点、落脚点和依靠力量，这就为21

---

①《马克思恩格斯选集》第1卷，北京：人民出版社，2012年，第376页。
②《马克思恩格斯选集》第1卷，北京：人民出版社，2012年，第413页。

世纪马克思主义的发展回答“为了谁”“依靠谁”等问题提供了思路和依据。习近平总书记指出：“我们党来自人民、植根人民、服务人民，党的根基在人民、血脉在人民、力量在人民。”[①]坚持人民立场、始终走人民群众路线、遵循为人民谋幸福的价值导向、以人民群众利益为最高标准，是我们党在长期的革命、建设和改革实践中始终坚持和弘扬的优良作风。新时代我们必须以人民利益为重，把人民放在最高位置，“坚持问题导向，聚焦我国改革开放和社会主义现代化建设面临的重大现实问题、全局性战略问题、人民群众关心关注的热点难点问题，为解决问题提供新理念、新思路、新办法”[②]。推动21世纪马克思主义在满足人民美好生活向往的实践中迸发出蓬勃的生机与活力。

三是坚持用与时俱进的理论品质发展21世纪马克思主义。习近平总书记在十九届中央政治局举行第五次集体学习时指出：“《共产党宣言》所阐述的一般原理整个说来是正确的，但不能要求《共产党宣言》对170年后人类社会发展提出的所有具体问题都提供现成答案。我们要以科学的态度对待科学，以真理的精神追求真理，不断赋予马克思主义以新的时代内涵。”[③]立足新时代的际遇，我们必须毫不动摇地坚持马克思主义与时俱进的理论品质，“以更加宽阔的眼界审视马克思主义在当代发展的现实基础和实践需要，坚持问题导向，坚持以我们正在做的事情为中心，聆听时代声音，更加深入地推动马

① 习近平：《习近平谈治国理政》第1卷，北京：外文出版社，2018年，第367页。
② 习近平：《学习马克思主义基本理论是共产党人的必修课》，《求是》2019年第22期。
③ 习近平：《学习马克思主义基本理论是共产党人的必修课》，《求是》2019年第22期。

克思主义同当代中国发展的具体实际相结合，不断开辟21世纪马克思主义发展新境界，让当代中国马克思主义放射出更加灿烂的真理光芒”①。根据新的时代条件变化和实践发展，不断研究中国发展的新情况，解决社会产生的新问题，总结发展进步的新经验，提高对中国特色社会主义的新认识，在理论创新和实践创新的良性互动中推动马克思主义中国化发展的新飞跃，不断开辟当代中国马克思主义和21世纪马克思主义发展的新境界。

知识链接

★ 消灭私有制 ★

消灭私有制，不是把个人的财产变为社会的财产，直接没收分给所有人，而是改变现有私有财产背后的社会关系、阶级关系，消灭雇佣劳动、资本及其相互间的对立关系，是为了让劳动成为自由自觉的劳动，作为人的第一需要，而不再是雇佣劳动、谋生劳动、异化劳动，是为了让劳动服务于人的生活，而不是服务于资本增殖、服务于财富的不断扩张。消灭私有制是历史发展的必然趋势，但是消灭私有制是一个漫长的过程，要在生产规模达到一定程度，有足够多的产品满足所有人的需要的条件下才能实现。

延伸阅读

（1）习近平:《中国共产党是〈共产党宣言〉精神忠实传人》,《人

① 习近平:《在庆祝中国共产党成立95周年大会上的讲话》,北京:人民出版社,2016年,第9页。

民日报》2018年4月25日。

（2）黄蓉生：《〈共产党宣言〉与中国共产党人的初心和使命》，《思想理论教育导刊》2018年第12期。

（3）王学东：《〈共产党宣言〉的当代启示》，《党建》2018年第5期。

（4）刘建军：《〈共产党宣言〉与新时代》，河北：河北人民出版社，2018年。

深度思考

（1）中国特色社会主义进入新时代的背景下，如何坚持和发展马克思主义？

（2）《共产党宣言》对于建设新时代中国特色社会主义的价值和意义是什么？

（3）如何提高全党运用马克思主义基本原理解决当代中国实际问题的能力和水平？

后　记

习近平总书记将十九届中央政治局第五次集体学习的内容确定为“《共产党宣言》及其时代意义”，并深刻指出学习《宣言》的目的是，通过重温经典，感悟马克思主义的真理力量，坚定马克思主义信仰，追溯马克思主义政党保持先进性和纯洁性的理论源头，提高全党运用马克思主义基本原理解决当代中国实际问题的能力和水平。对于中国共产党而言，《宣言》不仅是人类思想殿堂中璀璨夺目的瑰宝，更是滋养一代代共产党人坚定理想信念、不断奋勇前进的精神力量。

站在新的历史起点上，如何从多维度透视《宣言》中的深邃思想，让经典与时代对话，解答新的时代课题，是我们必须深入思考的问题。恩格斯曾说：“只要进一步发挥我们的唯物主义论点，并且把它应用于现时代，一个强大的、一切时代中最强大的革命远景就会立即展现在我们面前。”

中国共产党是《宣言》精神的忠实传人。在实现中华民族伟大复兴的道路上，我们要继续高扬马克思主义的伟大旗帜，把《宣言》中所蕴含的科学原理和科学精神运用到统揽伟大斗争、伟大工程、伟大事业、伟大梦想的实践中去，不断谱写新时代坚持和发展中国特色社会主义新篇章，让马克思和恩格斯所设想的人类社会的美好未来在中国大地上生动地演绎和展现出来！

本书立足于新时代对经典著作进行研究和阐释，期冀能够推进经典著作的宣传和普及，让理论为亿万人民所了解和接受。书中如有不足之处，敬请广大读者和专家批评指正。

燕连福

2019年10月30日于西安